CATHERINE BENSAID

Catherine Bensaid est psychiatre-psychanalyste. Titulaire d'une maîtr des études de médec en psychiatrie. Paral s'est intéressée aux r tales et a exercé l'ac d'années. Cette longue exp contres avec ses patients, et sa propre expérience de la vie nourrissent ses livres. Après le très grand succès de *Aime-toi, la vie t'aimera* (1992), Catherine Bensaid a publié *Histoires d'amours, histoire d'aimer* (1996), *Je t'aime, la vie* (2000), *La musique des anges* (2003) et *Qui aime quand je t'aime ?* (2005), qu'elle a écrit en collaboration avec Jean-Yves Leloup.

JEAN-YVES LELOUP

Jean-Yves Leloup, docteur en psychologie, philosophie et théologie, enseigne en Europe, aux États-Unis et en Amérique du Sud. Il est l'auteur de nombreux ouvrages publiés aux Éditions Albin Michel, notamment *Manque et Plénitude* (1994), *Le livre des morts* (1997), *Introduction aux « vrais philosophes »* (1998), *Prendre soin de l'être* (1999), *Méditation et compassion dans le bouddhisme et le christianisme* (2000), *Dieu n'existe pas, je Le prie tous les jours – une lecture du Notre Père* (2007). Il a traduit et commenté les *Évangiles* de Jean, de Thomas, de Philippe et de Myriam de Magdala, ainsi que d'autres *Évangiles* découverts récemment à Nag Hammadi, en Haute-Égypte.

Qui aime quand je t'aime ?

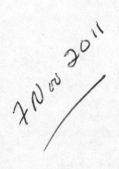

POCKET *Évolution*

Des livres pour vous faciliter la vie !

Philippe BRETON
Argumenter en situation difficile
Comment affronter les situations difficiles
liées à la vie en société ?

Allen CARR
La méthode simple pour avoir du succès.

Patrick ESTRADE
Comment je me suis débarrassé de moi-même
Les sept portes du changement
« Deviens qui tu es » disait Nietzsche... Un travail ardu que
cette intime découverte qui, paradoxalement, a souvent
l'allure de découverte d'un autre.

Alain SARTON
La traversée des émotions
Une voie à découvrir vers la connaissance et l'expression
de soi

Carole SERRAT et Laurent STOPNICKI
La médit-action
Une méthode complète de relaxation active.

Barry GORDON et Lisa BERGER
La mémoire intelligente
La développer et l'utiliser simplement au quotidien.

Brenda SHOSHANNA
Le zen et l'art de tomber amoureux.

Catherine Bensaid
Jean-Yves Leloup

Qui aime
quand je t'aime ?

De l'amour qui souffre
à l'amour qui s'offre

ALBIN MICHEL

© Éditions Albin Michel / C.L.E.S., 2005
ISBN : 978-2-266-16646-1

Mais qui aime
si proche de moi-même
au moment de t'aimer... ?

Sommaire

Introduction

par Catherine Bensaid

Écrire à deux : être deux à écrire. Deux paroles qui cheminent côte à côte, pour se rejoindre et se confronter l'une l'autre, s'éloigner et se retrouver, se distinguer et se rencontrer. Deux approches qui se complètent et se respectent, à l'écoute l'une de l'autre sans rien perdre de leur essence. Bien au contraire, deux regards qui s'enrichissent : ils s'éclairent et donnent à voir à chacun ce qu'il ne voyait pas auparavant.

Être deux à écrire sur la quête infinie de l'amour, sur la relation à deux, n'est-ce pas déjà savoir nous envisager l'un l'autre dans nos différences et nos ressemblances ? Et offrir au lecteur, plus encore que l'apport de l'un et de l'autre, le fruit d'une rencontre : non seulement la nôtre, mais aussi celle que chacun pourra créer avec l'un ou l'autre de nos textes respectifs, avec l'un et l'autre. Ce livre grandira au fil du temps pour avoir peu à peu son existence propre et il aura autant de visages que de regards qui lui seront portés.

Tels sont mon dessein et mon bonheur de partager avec Jean-Yves Leloup des pensées, des réflexions, des expériences sur la question de l'amour. Je me sens proche de ce qu'il écrit et de ce qu'il pense ; n'est-il pas plus facile de partir du « même » pour rencontrer l'« autre » ? Nos formations sont distinctes – je suis psychiatre, psychanalyste, il est prêtre, docteur en théologie, philosophie et psychologie –, mais nous avons tous deux en commun d'être ouverts à la fois à la psychanalyse et à la spiritualité. Aussi nous a-t-il paru judicieux d'avoir une double approche biblique et clinique sur la quête d'aimer qui est la quête de l'autre, objet d'amour, mais aussi la quête de soi, sujet aimant. Qu'est-ce qu'aimer ? Qui aime quand je dis « je t'aime » ?

Les titres de mes livres comportent tous le mot « amour », à l'exception de *La Musique des anges* – mais n'est-il pas un chant d'amour ? Amour de soi, amour de l'autre, amour de la vie : s'agit-il du même amour ? La question de l'amour, maintes et maintes fois abordée, reste ouverte : l'amour reste une question. Qu'y cherchons-nous ?

Nous parlons toujours de l'amour comme s'il s'agissait d'une entité unique que nous n'aurions pas à redéfinir. Comme si, une fois dit « je t'aime », tout était dit. Comme si nous avions besoin d'amour, sans avoir à préciser lequel. M'aime-t-elle ? M'aime-t-il ? Quels sont les critères qui nous permettent de penser que nous sommes ou non aimés ? Et quels sont ceux qui nous autorisent à croire nous-mêmes que nous aimons ? Que mettons-nous dans ce mot « aimer » ?

N'y a-t-il pas autant de façons d'aimer que d'être humains ? Et nous-mêmes, n'aurions-nous qu'une seule façon d'aimer ? Ceux que je suis amenée à entendre, hommes et femmes, parlent-ils de la même chose quand ils prononcent le mot « amour » ? Leur quête, la plupart du temps insatisfaite, relève-t-elle du même désir ? Et savons-nous quel est notre désir ?

Nous disons « j'aime » ou « je n'aime pas », mais nous ne savons guère qui est ce « je » qui aime,

« comment » il aime et « qui » il aime. Ce « je » qui nous rend sujets de nos choix et de nos préférences – sans un « je », que vaudrait un « je t'aime » ? Mais chacun sait combien ce « je » avant d'être adulte, c'est-à-dire libre, libéré de ses entraves, doit accomplir une longue route. Celle du retour vers soi.

Nous avons perdu très tôt notre innocence – *non nocere*, ne pas souffrir. À peine avons-nous eu conscience de nos manques et de notre nudité que nous étions chassés du jardin d'Éden. Nous sommes encore ce bébé, nu et dépourvu, fragile et désemparé : si avide d'aimer et d'être aimé qu'il ne tient pas davantage compte de l'autre que de lui-même. Il ne se connaît pas ; plutôt, il ne sait de lui que ses besoins immédiats. Il ressent une soif que rien ne semble jamais pouvoir désaltérer.

Avons-nous de tout temps éprouvé cette soif d'aimer qui semble maintenant tant nous occuper ? Adam et Ève se sont-ils « aimés » ? La Bible, histoire mythique et hautement symbolique de nos origines, j'en ai lu quelques passages, à ma façon, et je me suis autorisée à la rapprocher de mon expérience quotidienne, reflet de préoccupations plus contemporaines. L'amour dans son incarnation est bien souvent douleur. L'amour mystique peut mener à une exaltation qui ne fait plus toucher terre. Pourrions-nous aimer dans notre corps, gagner notre paradis terrestre – ou plutôt le retrouver – tout en nous laissant toucher par la grâce ?

L'amour, s'il nous mène vers une meilleure connaissance du « je » qui nous constitue, est aussi un apprentissage d'un « toi ». Un « toi » que j'apprends à toujours mieux aimer. « Je » grandis avec « toi ».

L'expérience d'aimer nous mène à travers le temps

du bébé malheureux à l'adulte joyeux, d'une dépendance anxieuse à un généreux échange, d'un monde où chacun se suffirait à lui-même au partage de ce que nous avons de meilleur à donner. La quête de l'amour est ouverture : à l'autre, à soi, à l'inconnu.

La solitude est une soif qui n'a pas trouvé sa source ; l'amour, une source qui désaltère : jamais arrêtée, transparente, pure et sans attente, elle accepte et reconnaît l'autre dans son altérité. Elle laisse l'autre nous faire autre. Boire à la source de l'amour est un don infini des cieux. Comme il est dit dans l'Évangile :

> *« Celui qui boira l'eau*
> *que je lui donnerai*
> *n'aura plus jamais soif.*
> *L'eau que je lui donnerai*
> *deviendra en lui une source,*
> *jaillissement de vie éternelle. »*

Introduction

par Jean-Yves Leloup

Au moment d'entrer dans ce livre où nous parlerons à deux voix de l'« expérience d'aimer », je pense à Jacques de Bourbon Busset qui me disait, peu de temps avant sa mort, à propos de sa relation avec Laurence : « Nous ne nous éclairions pas l'un l'autre, c'était la même lumière qui nous éclairait. Elle ne venait pas de nous, elle venait d'ailleurs, mais nous avons su l'accueillir, lui ménager entre nous deux un lieu, lui faire un espace... À certains instants, j'ai eu le sentiment très net d'une densité plus forte, d'une lumière plus vive. Tout se passait comme si venait se joindre à nous un troisième interlocuteur qui parlait par nos bouches et donnait à l'entretien plus de poids et de clarté. Et cet inconnu bienfaisant n'était que le reflet, le modeste interprète d'un autre invisible et lointain... ce compagnon extrêmement présent et discret, nous ne le nommions guère... »

Sans doute n'est-il toujours pas nécessaire de le nommer, à moins de vouloir le célébrer ou le prier ensemble...

L'intuition de Jacques de Bourbon Busset, c'est aussi un proverbe populaire : « Jamais deux sans trois. » Nous pourrions ajouter : « Jamais un sans Trois. » Toute relation suppose deux termes et un troisième qui les unit, mais qui tout autant les différencie. Sans ce « Troisième » il ne peut y avoir que fusion et mélange, ou exclusion et séparation, mais pas d'Alliance, ni d'Union.

L'expérience d'aimer, si elle est relation authentique, ne peut se passer de ce « Troisième » qui nous évite les régressions fusionnelles et les agressions séparatrices et qui nous conduit vers l'Un véritable.

Dans la rédaction même de cet ouvrage, il nous a semblé nécessaire de faire appel à ce « Troisième », pour signifier notre accord et notre différence, donner la parole à un « inconnu extrêmement présent et discret », une « parole autre » qui nous dérange et nous stimule dans l'affirmation de nos références et de nos disciplines, afin que le dialogue ne soit ni complaisance réciproque ni artillerie conceptuelle pour un combat où chacun cherche à assurer ou sa victoire ou sa défense...

Nous avons choisi pour entrer dans chacun de nos chapitres quelques « dits » de la parole biblique et évangélique. Ces textes sacrés ne sont pas censés répondre à nos questions, mais au contraire ils questionnent nos réponses. Ils remettent en question l'Amour dont nous parlons, ils nous remettent aussi le « cœur en queste ».

Sans doute, comme me le disait un autre vieil ami : « Ce n'est pas la lumière qui nous manque, ce sont nos yeux qui manquent à la lumière... » Ce n'est pas la Source qui nous manque, mais la soif pour la trouver ; ce n'est pas l'Amour, mais le désir d'aimer...

Il arrive parfois que la soif
rencontre la Source,
c'est ce que nous appelons

16

l'« expérience d'aimer »,
et le Troisième ?
c'est le chemin, le lien ou la relation
entre cette soif et cette Source...

I

Quand l'homme et la femme
font connaissance

« Il n'est pas bon que l'homme soit seul »

*« Il n'est pas bon que l'homme soit seul
Il faut que je fasse une aide qui lui soit assortie. »*

Genèse 2,18

« Ici, dans ce petit coin de paradis, la solitude me pèse. Personne pour partager avec moi tant de beauté, cela me fait mal au cœur. » Il est une pensée communément partagée : il n'est pas bon d'être seul. Nous sommes tous à la recherche de cet autre dont la seule présence fait d'un lieu, d'un paysage, d'un spectacle, d'un mets, d'une parole, d'une pensée un acte d'échange et de partage : la possible célébration d'un véritable instant de vie. En l'absence de cette personne, la vie, telle qu'on aimerait la vivre, est un rêve. On rêve sa vie. Le décor est planté, les paroles déjà écrites, l'histoire prête à être vécue, mais les acteurs, tout au moins l'acteur principal – ou l'actrice –, viennent à manquer.

Alors on attend. Mais on ne fait pas qu'attendre, on souffre. Et le beau paysage, la bonne nourriture, la parole à partager restent lettre morte. « À quoi bon tant de belles choses, si ce n'est que pour moi ? »

Nous sommes donc si peu qu'en notre seule présence,

nous ne puissions apprécier le beau et goûter pleinement le bon. L'existence d'un autre est nécessaire pour nous faire exister, pour nous mettre au monde : sa présence nous rend présents au monde. Nos yeux, nos oreilles, notre sensibilité ne retrouvent leur parfait usage qu'à travers le regard, l'écoute et la sensibilité de cet autre. Un autre qui est le plus souvent un inconnu, ou une inconnue. « Tous ces couchers de soleil que je vis sans elle : je ne la connais pas encore, mais je me languis d'elle. » On souffre d'une absence. N'est-ce pas une absence à soi-même ?

« Je ne me suis jamais vraiment installé dans ce lieu. Pour moi tout seul, je ne vois pas l'intérêt. » Notre cadre de vie n'a pas de valeur quand notre propre vie n'en a pas. On déserte les lieux que l'on n'habite pas. On ne peut rester chez soi, avec soi, en soi, si on ne se plaît pas en sa propre compagnie. Alors on sort, on va ailleurs, chez ceux dont la maison et la vie sont habitées. On les regarde vivre, on prend un peu de cette vie qui fait défaut et on rêve d'une vie qui pourrait être la nôtre. D'une autre vie.

On ressent à nouveau la soif. Une soif jamais étanchée de quelque chose : un manque à vivre, un manque de ce qui nous paraît être essentiel pour vivre, se sentir vivre. Un quelque chose, on ne sait quoi, mais autre chose. Quelqu'un certainement, qui nous éveillerait à de nouvelles sensations, nous apporterait des joies, des plaisirs inconnus. Un autre qui nous permettrait par son regard et son existence de mieux nous voir et de mieux nous connaître.

J'ai besoin de te rencontrer, toi qui vas me faire découvrir qui je suis. Où es-tu, toi que je cherche depuis si longtemps ? Où te caches-tu ? Viens à moi, car je t'attends.

Savons-nous même ce que nous attendons d'un autre, et pourquoi il nous est si difficile d'être seul ? L'enfant unique bien souvent s'invente un compagnon pour partager ses jeux et ses peines. Il dialogue avec un autre imaginaire, sans avoir à lutter pour imposer ses goûts et ses désirs ; cet autre, jumeau de cœur et d'âme, est un autre lui-même qui l'aime, et qu'il aime, d'un amour inconditionnel. Il le suit partout où l'enfant trouve bon d'aller, et ce à chaque instant. On ne peut rencontrer complicité plus absolue. Si l'enfant unique l'est déjà dans le regard des parents, il reste unique pour ce compagnon de rêve. Toi pour moi, moi pour toi.

Nos premières histoires d'amour ont déjà le caractère privilégié et unique d'un lien d'exception. L'unicité de cette rencontre, même parmi les membres d'une même famille, lui donne toute sa force. « Je sais qu'avec moi, ce n'était pas comme avec les autres », ou bien encore : « J'étais seul à le voir tel qu'il était, à apprécier toutes ses qualités. »

« La mort de ma grand-mère a été un choc immense. Je l'aimais plus que tout au monde », « Je n'ai jamais pu faire le deuil de mon grand-père. Un homme absolument bon », « Je sais que pour ma grand-mère, je pourrais faire n'importe quoi. Même encore plus que pour mon amoureux. » Certains grands-pères et grands-mères ont instauré une complicité à travers des jeux, des histoires, des promenades, un enseignement que les futurs adultes n'oublieront jamais. D'autant plus si certaines confidences ont été faites, ou que l'on a bravé ensemble des interdits. « Ma grand-mère me racontait ses amours de jeunesse, des choses qu'elle n'avait jamais racontées à personne, même à mon grand-père », « Mon grand-père emmenait le petit garçon que j'étais dans des lieux illicites, me faisant partager son monde en dehors de la maison familiale. Quelle joie c'était pour moi ! »

Des relations hors la loi et les contraintes parentales ont ce goût délicieux de l'exclusivité et du secret. N'est-ce pas une histoire d'amour, vécue avec une intensité similaire de part et d'autre ? Et le bonheur de pouvoir dire et penser, à l'instar de Montaigne : « Parce que c'était lui, parce que c'était moi. » On aime tant l'idée qu'avec nous, « c'est pas pareil » qu'avec les autres. Ne pas être seul, c'est être le préféré d'un autre.

Je ne suis plus seul(e) dès lors qu'il y en a un pour qui je suis *un*. Un qui puisse me chanter : « Tu es ma préférence à moi. » On recherche l'être unique : unique dans ce qu'il est, dans ce qu'il nous donne à vivre, mais avant tout unique à nous procurer la sensation d'être unique. Soyons deux pour que je sois un.

Si nous sommes uniques l'un pour l'autre, on trouve dans la qualité de notre échange le terrain propice à une non-solitude. « Au moins, lui, il s'occupe de moi. C'est le seul qui s'intéresse à ce que je fais, à ce que je suis », « Il me dit être la première femme qui lui apporte tout ce qu'il attendait d'une femme... », « Si elle n'était pas là, je ne serais plus là ; je n'aurais pas le goût de vivre. » Le bonheur est là : ne pas *se sentir* seul.

« Je suis seul avec tous, sauf avec toi », écrit Einstein à sa future épouse, Mileva, ainsi que le cite Florence Montreynaud dans son livre *Aimer. Un siècle de liens amoureux.* Il poursuit : « Comme je suis heureux d'avoir trouvé en toi quelqu'un en tout point égal à moi, aussi fort et autonome que moi-même. » Dans la sensation de n'être pas seul, on éprouve le bonheur d'avoir rencontré son autre *moitié* : un autre identique à soi-même. Cette moitié qui nous manque, comme une moitié d'orange manque à l'autre pour faire une belle orange. On rejoint là le mythe de Platon.

La moindre différence devient alors une faille dans le bonheur que l'on s'était conté : l'autre doit être le même, absolument. Aussi voit-on déjà l'autre dans un prisme déformant : nous transformons la réalité pour la faire entrer dans le cadre de notre rêve : un autre « en tout point égal » à nous, afin de former avec lui une *bulle* parfaite.

« Avec elle, c'est merveilleux, nous avons les mêmes goûts, les mêmes désirs », « Chez lui, comme chez moi, c'est peint en blanc. Nous étions faits pour nous rencontrer. » Ce n'est pas : « Elle aimait Mozart... » comme dans *Love Story*, mais : « Nous aimions Mozart... » Le fait d'aimer Mozart, a fortiori d'avoir un appartement peint en blanc, est bien peu caractéristique d'une personne, mais qu'importe, l'essentiel est de se convaincre d'avoir trouvé la « bonne personne ». L'être élu sitôt rencontré est doté des qualités propres à nous rassurer sur notre choix. « Chaque jour, j'ai une nouvelle preuve que c'est bien lui, l'homme de ma vie. C'est simple, on aime tout pareil. » Ainsi commencent beaucoup d'histoires d'amour...

Ce choix dont nous sommes convaincus qu'il est le bon va cependant être remis en question dès lors que notre soif du même rencontre une altérité trop dérangeante. Il n'est personne pour dire qu'il ne reconnaît pas chez l'autre sa différence. Et pourtant, chaque jour d'une relation à deux peut être semé de ces petites discordes qui trouvent justement leur source dans la différence. Passé le temps où, pour se faire aimer de l'être aimé, on vit, pense et décide *comme lui*, chacun s'affirme tel qu'il est. Et il voit l'autre tel qu'il est, différent de ce qu'il avait imaginé. Viennent alors des « j'aurais tellement aimé... », « tu aurais pu... », « pourquoi n'as-tu pas... ». La belle unité se brise quand on découvre que l'autre, ce n'est pas nous.

« J'aurais tellement aimé qu'il soit plus attentif, moins égoïste... », « Pourquoi n'a-t-elle pas compris tous les efforts que je fais pour elle... » Elles, ils ne font pas les gestes que l'on attend d'eux. Chacun aimerait que les désirs, pensées, idées de l'autre rencontrent une parfaite adéquation avec les siens. Tous ses désirs, toutes ses pensées, toutes ses idées. Mais si on attend que l'autre soit pareil en « tout » à soi ou comme on veut qu'il soit, on ne voit rien de ce qu'il est.

Par toutes les attentes qui se portent sur cet autre soi-même, le regard est restrictif. Car toute attente est restrictive : elle conduit à voir ce que l'on veut bien voir, comme à entendre ce que l'on veut bien entendre. Et nous sommes prêts à croire – pour le bonheur même de croire – en celui ou celle dont nous ne voulons rien savoir si ce n'est l'espoir que nous y avons mis. La jouissance est grande pour celui ou celle qui parvient à se convaincre qu'il n'est et ne sera plus seul. Plus jamais seul.

Plus notre manque d'un autre est douloureux et persistant, plus on prête au premier venu le pouvoir de nous soulager. On le pare de vertus parfois bien illusoires ; on sait que les mirages apparaissent dans les déserts. Dans ces temps désertés par l'amour et la vie, notre soif de vivre, qui plus est notre soif qu'un autre nous fasse vivre, fait perdre tout discernement. On ne voit pas l'autre, mais le besoin que nous avons de lui. « Il me portait aux nues et me faisait sans cesse des compliments ; trop pour penser qu'il s'agissait véritablement de moi. Je savais qu'il se réveillerait un jour et, me voyant telle que j'étais, il ne m'aimerait plus. Car il ne m'avait jamais aimée. »

Si un autre, à lui seul, peut remplir un rôle aussi important que celui de donner vie à un espace, un temps, est-ce bien de cet autre, homme ou femme, que vient la « vie » ? N'est-ce pas notre capacité à nous raconter une histoire sur le dos de l'autre : une histoire que nous lui faisons porter, pour son bonheur ou son malheur. Une histoire qui est déjà la nôtre avant d'être la sienne : pas seulement celle de notre passé, mais celle de notre avenir tel que nous l'avons depuis toujours imaginé.

Même en sa présence, nous continuons à imaginer une vie, une personne, un amour, qui ne tient pas compte de la réalité. Notre sensation de manque nous induit en erreur, comme elle induit l'autre en erreur. Elle nous égare tous deux dans le monde des faux-semblants. Dans notre désir réciproque de plaire à celui ou celle qui pourrait combler notre manque, nous nous façonnons une image, qui se veut à son image, mais qui nous éloigne de nous, comme elle nous éloigne de l'autre. Dans le manque, nous ne voyons que le manque. Jamais l'autre.

Chacun ne voit que ce qui peut et, bientôt, ce qui *doit* lui être donné. Ce que la vie, à travers l'autre, est en devoir de lui donner. Et il fait croire à l'autre que ce dernier lui est indispensable. Dans le besoin de l'autre, il peut être question de survie. Et chez celui qui permet à l'autre de vivre, l'assurance d'être nécessaire à sa vie. Donc vivant. Car alors sa vie a un sens. Alma Mahler dit, pour justifier son choix de rester avec son mari Gustav Mahler : « Il meurt si je pars ; si je reste, il vit. »

Ne pas être seul, est-ce attendre de l'autre qu'il nous donne vie, ou encore rester avec lui pour le maintenir en vie ? Deux vies bancales peuvent-elles en faire une qui tiendrait debout ? S'il est nécessaire de trouver avec l'autre un soutien mutuel, s'appuyer l'un sur l'autre de tout le poids de sa difficulté à vivre ne rend la vie plus facile ni à l'un ni à l'autre. On n'aime pas l'autre pour ce qu'il est, ni pour la vie qu'il nous donne, mais parce que notre propre vie, on ne l'aime pas.

Ne pas être seul, c'est déjà être soi-même vivant, habité par sa propre vie. Plein de sa vie, on ne demande pas à l'autre de la remplir. « Il m'a reproché d'avoir tant investi en moi. Mais "moi", que savait-il de moi ? Il me couvrait de cadeaux, voulait que la relation ressemble à celle qu'il désirait. Il me mettait sur un piédestal, et cependant ne tenait aucun compte de mes désirs. En réalité, il me traitait comme moins que rien. Il avait tellement manqué d'amour dans sa jeunesse qu'il avait posé sur moi tous ses manques et ses espérances. Il croyait donner de l'amour, mais il en attendait ; et l'amour qu'il donnait, ce n'était pas à moi. C'était à celle qu'il avait inventée : celle qu'il aurait aimé que je sois. »

Le besoin d'un être unique pour qui l'on est unique, s'il obéit à un désir de fusion et non de communion, entraîne chacun des partenaires à sa perte, ainsi que la relation. Celle-ci se meurt à vouloir une ressemblance qui devient un appauvrissement de l'un et de l'autre.

À vouloir ressembler à l'autre, on ne ressemble plus à rien. Car pour me plaire, tu deviens autre, et pour te plaire, je deviens autre. Si pour n'être plus seuls notre but est de ne plus faire qu'un – « Ne faire qu'un, la question est : lequel ? », pour reprendre le mot de Guitry à propos du mariage –, on peut dire que « un plus un » abolit le deux, et même le un. Chacun n'est plus que l'ombre de lui-même, l'ombre projetée du désir de l'autre pour soi, de son propre désir pour l'autre.

« Il n'est pas bon que l'homme soit seul » ne signifie pas se perdre pour un autre ni le voir lui-même se perdre pour nous. Etty Hillesum écrit dans son journal : « Quelque chose te poussera toujours à te perdre dans un autre, dans "l'être unique". Encore une fiction – une belle fiction, certes. Deux vies ne sauraient coïncider. Pour moi, en tout cas. Tout au plus connaît-on quelques moments de communion. Mais ces moments justifient-ils une association pour la vie ? Suffisent-ils à cimenter une vie commune ? Il y a aussi un sentiment fort. Et parfois heureux. Seule. Mon Dieu. Mais dure. Car le monde reste inhospitalier. »

Il est bon d'être deux, dans ce monde inhospitalier. De s'accompagner sur la route, d'être attentifs l'un à l'autre, tendres l'un pour l'autre, de s'accorder des attentions mutuelles. D'être prêts à partager douceurs et labeurs. Mais la quête inquiète d'un amour qui n'est là que pour soigner notre peur de la solitude nous condamnerait à être seuls. Si l'on n'est pas déjà un, comment pourrions-nous être deux ?

Je n'attends pas de l'autre qu'il me donne vie. Je suis un être vivant qui rencontre un autre être vivant. J'ai ma solitude, il a la sienne. « Il n'est pas bon que l'homme soit seul », une fois qu'il a reconnu son « être seul », son être unique. Je suis unique à être ce que je suis. Je reconnais le *un* que je suis avant de pouvoir être *deux*. De m'ouvrir à l'autre, de m'unir à lui.

Avant de me sentir unique pour un autre, je reconnais en moi ma propre unicité. Chacun a quelque chose d'unique qui est unique pour un autre.

La genèse d'une alliance

« *Dieu créa l'homme à Son image,*
à l'Image de Dieu Il le créa,
homme et femme Il les créa. »

Genèse 1,27

« *YHWH dit : "Il n'est pas bon*
que l'homme soit seul.
Il faut que je lui fasse une aide
qui lui soit assortie (en face)."
YHWH modela encore du sol
toutes les bêtes sauvages
et tous les oiseaux du ciel,
et il les amena à l'homme pour voir
comment celui-ci les appellerait :
chacune devait porter le nom
que l'homme lui aurait donné.
L'homme donna des noms
à tous les bestiaux,
aux oiseaux du ciel et
à toutes les bêtes sauvages,
mais, pour l'homme,
il ne trouva pas l'aide qui lui fût assortie (en face). »

Genèse 2,18-20

Pourquoi est-il écrit : « Il n'est pas bon que l'homme soit seul » ?

L'homme ne se suffit-il pas à lui-même ? Pourquoi aurait-il besoin de l'autre pour se réaliser ? Et pourquoi un homme pour une femme et une femme pour un homme ? Ne peut-on pas aimer et être heureux avec une personne du même sexe ? (Il est à noter que le *Petit Robert*, jusqu'en 1993, définissait l'amour comme « inclination envers une personne d'un autre sexe » ; depuis, « inclination envers une personne » semble suffire, la détermination relative au sexe de l'autre est supprimée...)

Mais d'abord pourquoi ne peut-on pas être heureux tout seul ? Ce bonheur dépendant de l'autre, n'est-ce pas ce que dénoncent nos psychologies contemporaines ? Ne faut-il pas apprendre à se suffire à soi-même et être délivré de toute attente ? Ne peut-on pas « être pour soi-même objet d'amour » ? C'est la définition même du narcissisme selon Freud. « Celui-ci, écrit Xavier Lacroix, le considère d'abord comme un stade de l'évolution sexuelle avant de le comprendre comme une constante de la libido, le point de départ en quelque sorte de celle-ci, il deviendra une des deux sources principales du désir amoureux, l'amour de soi projeté en l'autre par identification, l'autre source étant l'attrait sexuel proprement dit, tourné vers le plaisir. »

Le narcissisme est-il source de l'amour ? N'est-il pas davantage « soif » de l'amour ? Dans le mythe d'Ovide c'est bien de soif qu'il s'agit : « Narcisse le jeune homme d'une éclatante beauté refuse les avances de plusieurs nymphes amoureuses, mais lorsqu'il se penche vers les eaux, c'est sa soif qu'il tente d'apaiser et alors une autre soif grandit en lui. Pendant qu'il boit, séduit par l'image de sa beauté qu'il aperçoit, il s'éprend d'un reflet sans consistance, il prend pour un corps ce qui n'est qu'une ombre. Il reste en extase devant lui-même et, sans bouger, le visage fixe, absorbé dans ce spectacle, il semble une statue faite de marbre de Paros. Il admire tout ce par quoi il suscite l'admiration. Il se désire, dans son ignorance de lui-même. Ses louanges, c'est à lui-même qu'il les décerne. Les ardeurs qu'il ressent, c'est lui qui les inspire. Il est l'aliment du feu qu'il allume. »

« Il se désire, dans son ignorance de lui-même » et il va chercher à se connaître dans le regard de tout ce qu'il rencontre, le monde entier est devenu un miroir dans lequel il se cherche et se mire, il n'y a pas d'"autre" qui lui réponde, c'est-à-dire qui lui résiste. Mais cela lui suffit. Le culte des apparences est sa religion, il fait de son reflet son être et son identité, ses "apparences", toujours mieux entretenues, lui masqueront le vide où un jour ou l'autre, malgré tout, il faudra plonger. « Chaque génération, explique Gilles Lipovetsky, aime se reconnaître et trouver son identité dans une grande figure mythologique ou légendaire qu'elle réinterprète en fonction des problèmes du moment : Œdipe comme emblème universel, Prométhée, Faust ou Sisyphe comme miroirs de la condition humaine. Aujourd'hui, c'est Narcisse qui, aux yeux d'un nombre important de chercheurs, tout particulièrement américains, symbolise le temps présent. »

De nombreux textes freudiens, repris par une multitude d'ouvrages proposant comme développement personnel l'accès à un bien-être narcissique, semblent cautionner Benjamin Constant lorsqu'il dit que « l'amour est le plus égoïste des sentiments ».

« L'autre mérite mon amour lorsque, par des aspects importants, il me ressemble à tel point que je puisse en lui m'aimer moi-même, écrit Freud. Il le mérite s'il est tellement plus parfait que moi qu'il m'offre la possibilité d'aimer en lui mon propre idéal. » Lorsque l'autre ne me propose plus un reflet nécessaire et suffisant de moi-même, je m'en détourne et je cherche un nouveau miroir plus favorable. Même dans le domaine du plaisir, si l'autre ne me fait pas suffisamment jouir de moi-même, je lui préfère une poupée gonflable ou une représentation virtuelle que je peux modeler à mon gré.

Narcisse n'est pas loin d'Onan. Tout plaisir est solitaire, l'autre peut sans doute m'aider à le trouver ou même à le développer, mais c'est « mon » plaisir, et si l'autre, lui, n'a pas de plaisir, c'est « son » affaire, c'est « son » problème...

Pourtant l'histoire de Narcisse est tragique, l'absence de l'autre c'est aussi l'absence du réel. Ovide n'est pas dupe de l'illusion dans laquelle vit son héros : « Crédule enfant, à quoi bon ces vains efforts pour saisir une fugitive apparence ? L'objet de ton désir n'existe pas ! Celui de ton amour, détourne-t'en et tu le feras disparaître. Cette ombre que tu vois, c'est le reflet de ton image. Elle n'est rien par elle-même, c'est avec toi qu'elle est apparue, qu'elle persiste, et ton départ la dissiperait, si tu avais le courage de partir. »

Que se passe-t-il quand on découvre qu'on n'a jamais aimé personne d'autre que soi et que ce soi est sans substance, projection illusoire sur l'écran plus ou moins complaisant mais toujours changeant d'autrui ? On ne peut être que déçu et malheureux et on fera reproche à l'autre de cette déception. « Quand deux êtres se déçoivent réciproquement, il est à peu près sûr que chacun n'a aimé que soi-même en l'autre », écrit Gustave Thibon.

Mais est-ce possible d'aimer l'autre comme un autre ? L'aimer comme un autre soi-même, n'est-ce pas encore l'aimer comme du même ? Comme l'« autre moitié de moi-même » ?

Mon autre moitié, n'est-ce pas toujours moi ? Le mythe de l'Androgyne n'est-il pas le développement du mythe de Narcisse ? N'exprime-t-il pas la même difficulté à connaître et à reconnaître qu'il y a de l'autre ? Et particulièrement de l'autre sexe ? On se souvient que le mot « sexe » vient du verbe *secare*, « couper », être sexué selon le mythe de l'Androgyne ; c'est être coupé, mais non coupé de l'autre, coupé en soi-même d'une moitié qui est à nous, mais qui manque.

Pour Platon, dans *Le Banquet*, le premier homme était rond. Cette forme sphérique, image de la totalité, donnait à ces êtres androgynes « une force et une vigueur extraordinaires » semblables à celles des dieux. Si les hommes sont comme des dieux, à quoi bon rendre un culte à d'autres dieux qu'eux-mêmes ?

Zeus, le dieu suprême, eut alors l'idée non pas de détruire les hommes mais de les affaiblir en les coupant en deux, ce qui fut fait avec l'aide d'Apollon « afin qu'en voyant sa coupure, l'homme devînt plus modeste ».

Cette modestie va aussi être sa « peine » ; c'est alors que va survenir *Eros* (le fils de *penia*), cet amour qui est quête de l'unité perdue, recherche de son autre moitié.

« Quand le corps eut été ainsi divisé, chacun, regrettant sa moitié, allait à elle et, s'embrassant et s'enlaçant les uns les autres avec le désir de se fondre ensemble, les hommes mouraient de faim et d'inaction, parce qu'ils ne voulaient rien faire les uns sans les autres. » Ainsi donc « Eros recompose l'antique nature, s'efforce de fondre deux êtres en un seul et de guérir la nature humaine. Chacun de nous est comme une tessère d'hospitalité, puisque nous avons été coupés comme des soles et que d'un nous sommes devenus deux ; aussi chacun cherche sa moitié ».

« Et voilà les gens qui passent toute leur vie ensemble, sans pouvoir dire d'ailleurs ce qu'ils attendent l'un de l'autre, poursuit *Le Banquet* ; car il ne semble pas que ce soit le plaisir des sens qui leur fasse trouver tant de charme dans la compagnie l'un de l'autre. Il est évident que leur âme à tous deux désire autre chose, qu'elle ne peut pas dire, mais qu'elle devine et laisse deviner. Si, pendant qu'ils sont couchés ensemble, Héphaïstos leur apparaissait avec ses outils et leur disait : "Hommes, que désirez-vous l'un de l'autre ?" et si, les voyant embarrassés, il continuait : "L'objet de vos vœux n'est-il pas de vous rapprocher autant que possible l'un de l'autre, au point de ne vous quitter ni nuit ni jour ? Si c'est là ce que vous désirez, je vais vous fondre et vous souder ensemble, de sorte que de deux vous ne fassiez plus qu'un... et qu'après votre mort, là-bas, chez Hadès, vous ne soyez pas deux, mais un seul, étant morts d'une commune mort." À une telle demande nous savons bien qu'aucun d'eux ne dirait non et ne témoignerait qu'il veut autre chose : il croirait tout bonnement qu'il vient d'entendre exprimer ce qu'il désirait depuis longtemps, c'est-à-dire de se réunir et de se fondre avec l'objet aimé et de ne plus faire qu'un au lieu de deux. »

Le mythe biblique reprend-il le mythe d'Aristophane et de Platon : « homme et femme Il les créa » ? Est-il question des deux faces ou des deux côtés d'un même être, ou s'agit-il de la relation de deux êtres entiers et différenciés ?

Le Zohar et certains Midrash semblent bien interpréter le texte biblique comme référence à l'Androgyne primordial :

> « Rabbi Chemouel bar Nah'man a dit :
> *"Lorsque le Saint-Béni-Soit-Il,*
> *a créé le premier Adam,*
> *Il l'a fait 'double face'*
> *et l'a scié après pour en faire deux corps."*
> *On lui objecta :*
> *"Il est pourtant écrit :*
> *Il prit une de ses côtes ?"*
> *Il répondit :*
> *"Il faut lire :*
> *un de ses côtés*
> *ainsi qu'il est écrit*
> *et le côté du Tabernacle..."* »

Midrash Rabbah, Genèse, VIII

« Les rabbins ne choisissent jamais une citation au hasard, commentent Josy Eisenberg et Armand Abécassis. Leur intention est claire : ils ont voulu comparer les deux côtés de l'androgyne aux deux côtés du Tabernacle.

L'homme et la femme sont les deux côtés du Temple. Tout comme le Tabernacle d'abord, puis le Temple étaient le lieu où résidait la présence divine, Dieu est présent dans l'union de l'homme et de la femme. Un autre Midrash illustre spectaculairement cette conception. Il constate que la différence entre le mot *Iych*, homme, et le mot *Ichah*, femme, consiste en ce que le premier possède en plus la lettre *yod*, et le second la lettre *hé*. Or, ces deux lettres ensemble constituent le mot *Yah*, qui est l'un des noms divins... »

Ainsi, avec le deux, il faut faire de l'Un, parce qu'à l'origine, quand cela « tournait rond », nous étions Un. Lorsque j'aurai retrouvé mon autre moitié, mon autre côté, je serai enfin entier, je serai rond, le temple tiendra debout, je serai dieu, ou demeure de Dieu !

Le mythe est toujours opérant, si on en croit aujourd'hui le nombre de stages qui nous promettent de retrouver notre « âme sœur », une sorte de double de soi-même dont il serait possible de dire que « nous sommes faits l'un pour l'autre ».

Le romantisme et de nombreuses chansons ont exalté de telles croyances : « Mon cœur me l'avait dit : toute âme est sœur d'une âme, / Leur destin, tôt ou tard, est de se rencontrer. »

Faut-il dire comme Lamartine : « Mythe stupide et vénéneux de l'âme sœur créée spécialement pour chacun de nous et qu'il suffit de rencontrer pour réaliser sur terre le paradis de l'amour » ?

Est-ce vraiment une illusion de croire que quelque part il existe sur terre un être dont la rencontre comblerait tous nos désirs, en compagnie duquel l'existence ignorerait déceptions, défaillances et conflits ? « Cette illusion sera à l'origine de toutes les autres, écrit Gustave Thibon. Lorsque, avec le temps, on découvrira l'écart, les failles, le manque, à travers les imperfections et "défauts" de l'autre, le raisonnement suivant aura lieu : le (la) partenaire idéal(e) existe, mais pas ici. Ce n'est pas toi, cet être capable de s'ajuster parfaitement à moi, que je vais désormais chercher ailleurs.

Je me suis seulement trompé d'adresse. Ainsi sacrifiera-t-on le couple réel au couple idéal, le partenaire imparfait mais présent au partenaire rêvé. »

« Ne plus faire qu'un au lieu de deux » : lorsque Héphaïstos, le forgeron, propose aux amants de les fondre ensemble, le récit précise qu'aucun des deux ne dirait non, si fort serait en nous l'Eros, le désir de l'un. Mais chacun peut pressentir que dans cet « un », l'« autre » risque de disparaître.

N'y aurait-il pas une autre interprétation du texte biblique, plus proche sans doute de ce que pressentait *Le Prophète* de Khalil Gibran :

« Aimez-vous l'un l'autre, mais ne faites pas de l'amour une entrave :
Qu'il soit plutôt une mer mouvante entre les rivages de vos âmes.
Emplissez chacun la coupe de l'autre, mais ne buvez pas à une seule coupe.
Partagez votre pain, mais ne mangez pas de la même miche. [...]
Et tenez-vous ensemble, mais pas trop proches non plus :
Car les piliers du temple s'érigent à distance,
Et le chêne et le cyprès ne croissent pas dans l'ombre l'un de l'autre. »

C'est dans son *Au-delà du principe de plaisir* que Freud se réfère au mythe des Androgynes. Selon le récit d'Aristophane, lorsque les deux moitiés se sont trouvées, leur désir est « satisfait », elles ont obtenu *satis*, « assez ». Comme si le désir tendait vers le non-désir, vers sa propre suppression, et c'est bien là ce que Freud appelle la « pulsion de mort », ou encore le « principe de nirvana », c'est-à-dire « la tendance à maintenir l'appareil psychique à un niveau d'excitation constant et aussi bas que possible... Ainsi le principe de plaisir est au service des instincts de mort ».

Bien qu'opposé à Freud sur de nombreux points (particulièrement sur la notion de civilisation et de culture), Wilhelm Reich propose lui aussi l'assouvissement ou la suppression de toute tension comme le but ultime de toute pratique sexuelle. La notion de décharge y est centrale. Il s'agit de se décharger du poids de notre dualité, retrouver la « pulsion originelle ». Le désir est l'ennemi du plaisir, il élargit l'entre-deux, il confirme le manque, il nous rappelle que nous ne sommes pas « un », que nous ne sommes pas des dieux.

Alain Finkielkraut et Pascal Bruckner, dans leur *Nouveau désordre amoureux*, intègrent bien cette orientation : « Au fond, le culte de l'orgasme n'a peut-être qu'une fonction : concentrer la seule émotion dans le sexe et libérer les corps de tout désir. [...] La bonne relation sexuelle ne sera rien d'autre que la réparation d'une étrangeté, la domestication, sous tutelle génitale, d'une force indomptée que la décharge totale éliminera. L'amour est un patient travail de soulagement des tensions. L'érotisme est un désordre qu'il faut stabiliser. L'orgasme comme plaisir terminal est la restitution de ce dérèglement à l'ordre établi. Une bonne pulsion est une pulsion morte. »

Mais si le but de la relation n'était pas de faire de l'un avec l'autre, de le réduire au même, mais au contraire de le confirmer dans sa différence et de faire de cette différence la condition même d'une alliance ?

Comme le rappelle Levinas, particulièrement dans *Totalité et infini*, l'autre a un visage, c'est ce qui le rend irréductible à soi-même. Un visage est toujours plus que la somme des éléments qui le constituent, il y a toujours quelque chose qui m'échappe dans un visage, que je ne peux « saisir », par aucune prise, que celle-ci soit intellectuelle, affective ou sensuelle.

Si je l'observe sans le réduire à ce que je peux en connaître, alors une ouverture peut se produire dans ma conscience et c'est ainsi que Dieu me vient à l'idée ; le visage de l'autre reconnu dans son altérité est de l'ordre de l'insaisissable et de l'infini. On comprend mieux alors que « faire connaissance » avec l'autre, c'est faire connaissance avec l'inconnu, c'est faire connaissance avec Dieu. La relation humaine est « à l'image de Dieu » dans ce qu'elle a d'invisible, d'irreprésentable, d'inconnaissable.

La réduire à ses composantes physiologiques ou psychologiques évacue évidemment toute référence au sacré.

Post coïtum, l'animal peut être triste puisque la rencontre des corps était sans visage et sans reconnaissance d'une altérité. À ce propos, il est intéressant de remarquer que dans le texte de la Genèse, YHWH, « l'Être qui est ce qu'Il est », fait défiler devant l'Adam, le glaiseux, tous les animaux, depuis les oiseaux du ciel jusqu'aux bêtes sauvages, et qu'Adam ne trouve parmi tous ces animaux aucune « aide qui puisse se tenir en face de lui » (*ezer kenegdo* en hébreu).

Certains rabbins précisent que les animaux s'accouplent devant Adam, et qu'il ne trouve pas dans cet accouplement ce qui pourrait être pour lui une relation heureuse et féconde, comme si la sexualité animale, malgré toute sa force et son intensité pulsionnelle, ne pouvait pas faire le bonheur de l'homme.

Donc il n'est pas bon que l'homme soit seul, *lo tov* en hébreu, c'est-à-dire que l'homme ne peut pas être complètement heureux tout seul, qu'il ne peut pas se contenter des leurres de l'altérité, comme Narcisse, comme l'Androgyne mais aussi comme l'animal qui demeure au service des intentions de l'« espèce ».

Avant la création de l'homme, « l'Être qui fait être tout ce qui est » semblait trouver bon tout ce qui existe. On connaît le refrain : « Il vit que cela était bon et beau » ; ce qui est bon pour les plantes, pour les astres et pour les animaux ne l'est peut-être pas pour l'homme. L'unité du cosmos, des genres et des espèces, n'est peut-être pas la forme d'unité à laquelle il aspire : dissolution, fusion, réintégration, ce n'est pas encore l'Amour, et ainsi le texte continue :

> « ... *je vais lui faire*
> *une aide en face.* »

L'expression *ezer kenegdo* signifie tout ensemble : aide en face, aide par rapport, aide contre. La traduction la plus littérale est sans doute « aide en face de lui » avec toutes les nuances d'opposition, de confrontation et aussi d'affrontement contenues dans un face-à-face.

Mais c'est aussi dans ce face-à-face qu'on accède à un amour différencié. Il y a deux visages et non deux moitiés de visage, il y a deux altérités, deux sujets irréductibles qui peuvent « s'incliner l'un devant l'autre » ou se chercher de mauvaises querelles.

C'est dans ce face-à-face, dans ce « visage contre

visage », c'est-à-dire aussi dans une Parole et un Souffle partagés, que les deux « glaiseux » masculin et féminin accèdent à leur humanité entière, à leur être de sujet parlant et libre ; avant ils étaient objets de toutes sortes de nécessités, organiques, pulsionnelles et fonctionnelles.

Dans la tradition hébraïque, particulièrement dans les Midrash, on insiste sur le fait qu'un homme qui n'a pas connu de femme ne peut pas être appelé « humain », de même pour la femme. Et les exégètes font remarquer que l'humain masculin avant de rencontrer la femme, l'altérité, s'appelle Adam ; après l'avoir rencontrée il s'appelle *ha-adam* (l'adam).

Si, comme les kabbalistes, on compte la valeur numérique des lettres qui composent ces mots, on obtient pour *ha-adam* un équivalent numérique du mot *mi*, qui signifie en hébreu « qui » ; alors que pour *adam*, on obtient une valeur numérique qui correspond au mot *mah*, signifiant « quoi ».

Comme l'expliquent Josy Eisenberg et Armand Abécassis, l'homme passe du « quoi » au « qui », c'est-à-dire d'un être objet à un être sujet lorsqu'il réalise la complémentarité homme-femme ; lorsqu'il rencontre l'autre, il devient lui-même à travers cette rencontre. On n'est pas « entier » tout seul, c'est cette rencontre, cette relation qui nous fait « qui », sujet, à l'image et à la ressemblance du Sujet premier et principe.

Le mot « amour » prend alors un autre sens, il n'est plus seulement *eros* mais « alliance ». Alliance entre deux libertés, entre deux sujets. On n'est plus dans un registre de complémentarité, l'autre n'est pas là pour combler le manque ; ce sont deux sujets entiers. Dans la relation entre ces deux libertés se révèle quelque chose du divin ou de l'inconnu. Ce n'est pas un amour de dépendance, ni un amour de séduction, c'est une alliance qui porte du fruit. Le fruit peut être un enfant, mais aussi une œuvre, un accomplissement, un plaisir...

Au cœur de la relation elle-même se révèle quelque chose de Dieu : l'Être du Don, cet « Être » qui se révèle comme trinité. Trinité veut dire que Dieu est relation d'amour : ce n'est pas le Un du monisme, ce n'est pas le Deux du dualisme, c'est le Trois, chiffre de l'alliance. De grands monothéistes comme Hallaj ou Rûmi disent : « Dieu est un, comme l'Amour, l'Amant et l'Aimé(e) sont un. » La relation elle-même est un dévoilement du Dieu un et trine : l'Uni-Trinité. Comme le dira l'*Évangile de Philippe* :

> *« Le mystère qui unit deux êtres est grand*
> *sans cette alliance le monde n'existerait pas. »*

Dans la mythologie et la pensée grecques, nous l'avons vu, la séparation de l'homme et de la femme est considérée comme punition. Dans la mythologie et la pensée hébraïques, cette même séparation est considérée comme une bénédiction, un bienfait du Créateur (« Il vit qu'il n'était pas bon que l'homme soit seul »). Cette différenciation est même l'occasion de « faire connaissance » avec la Source créatrice de tout ce qui vit et respire.

Le but d'une relation n'est pas seulement de récupérer la moitié qui nous manque et d'accéder ainsi à l'individuation ou à sa nature androgyne. La moitié qui recherche son autre moitié ne fait que s'aimer elle-même ; il n'y a pas d'accès à l'altérité, mais à une sorte de différenciation interne, jugée inopportune et douloureuse.

Dans la tradition hébraïque, comme dans l'*Évangile de Philippe*, l'Amour est davantage la recherche d'un « entier » vers un autre « entier », il ne naît pas du manque (il n'est pas fils de *penia*) mais d'un débordement vers l'autre (fils de *pléroma*, la plénitude).

(L'être humain naît mâle ou femelle, il a encore à devenir un homme et une femme, c'est-à-dire une Personne, un Sujet, capable de rencontrer une autre Personne, un autre Sujet dans un Amour libéré du besoin et de la demande, dont l'étreinte consciente et confiante est un écho.)

Certains auteurs de la tradition hébraïque font remonter cette rencontre de deux êtres différenciés sexuellement, mais partageant une même âme ou un même souffle, avant la naissance elle-même, façon métaphysique d'insister sur le fait que nous avons été créés pour former un couple et que c'est dans cette réalisation que s'épiphanise la Présence (la *Chekinah*) de YHWH.

Ainsi, dans la tradition hébraïque comme plus tard dans la tradition chrétienne (*Évangile de Marie, Évangile de Philippe*), on ne se sert pas de la relation pour son propre accomplissement, c'est la relation elle-même qui est notre propre accomplissement et révélation d'un troisième terme : l'Amour entre l'Amant et l'Aimée. Source de différenciation autant que d'union, ce « Troisième », la tradition biblique l'appellera Dieu, la tradition évangélique le *Pneuma* ou Esprit Saint, le Souffle qui unit deux êtres : « Ce n'est pas à un corps, écrit Christian Bobin, que l'on fait l'amour, c'est à un visage, ce n'est pas à un visage que l'on fait l'amour, c'est à la lumière sur ce visage. »

« Homme et femme, Il les créa »

« Il faut que je lui fasse une aide qui lui soit assortie. »

Genèse, 1, 27

Il est bon d'être deux. Après « il n'est pas bon que l'homme soit seul », il est écrit : « Il faut que je lui fasse une aide qui lui soit assortie. » À lire ainsi que le dit Jean-Yves Leloup : « ... je vais lui faire une aide en face de lui. »

Ne pas être seul, ce n'est pas seulement être unique dans le regard d'un autre, ainsi nommé, et se sentir exister : trouver dans sa présence une réassurance et un amour inconditionnel. Ne pas être seul, c'est avoir un autre en face de soi : un autre qui nous fait réagir et évoluer par ce qu'il nous renvoie dérange l'idée que l'on se fait de soi, nous aide à nous dépasser, nous surpasser, nous empêchant ainsi de nous enfermer dans la petitesse de notre moi. Un moi qui ne voudrait pas grandir.

Le face-à-face est une épreuve de vérité : « Regarde-moi en face et dis-moi la vérité. » On ne peut mentir quand on regarde l'autre en face. On dit aussi qu'on ne peut mentir quand on se tient droit. Droit face à l'autre.

Alors je te regarde droit dans les yeux et tu me regardes droit dans les yeux. Je reçois ton regard, comme tu reçois le mien, nous accueillons la vérité de notre regard l'un sur l'autre et chacun voit dans le regard de l'autre la vérité de ses sentiments. Nous n'avons pas le regard fuyant, ni ne sommes prêts à nous regarder de travers au moindre faux pas. Si faux pas il y a, je te dis, comme tu me dis, la vérité de notre ressenti, et chacun de nous peut l'entendre, sans baisser les yeux ni craindre de voir l'autre détourner son regard. Nous espérons l'un de l'autre de l'indulgence, mais non de la complaisance. Je ne te regarde pas de haut, ni ne souhaite t'élever sur un piédestal. Et je ne veux pas que tu m'encenses, ni que tu me juges. Dans ce face-à-face, il y a toi et moi. Toi, un autre que moi.

Si je ne veux rien entendre qui ne soit un éloge incessant, si je n'accepte de toi que ce qu'il me plaît de voir en moi, je suis tel Narcisse, ainsi que le dit Ovide, qui « admire tout ce par quoi il suscite l'admiration ». Alors, quand je te regarde, ce n'est pas toi que je vois, c'est moi.

« Tu es merveilleux, merveilleuse, le plus beau, la plus belle. » Le reste, je me refuse à l'entendre. Je veux rien savoir si ce n'est précisément ce que j'attends de toi, pour moi. Et je ne veux plus te voir si je ne vois pas en toi le reflet le plus beau qui soit, de moi. Tel que tu es, je me plais. Surtout ne change rien. Arrêt sur image, ne bougez plus.

« J'ai la sensation, si je change quoi que ce soit à mon image, qu'il ne m'aimera plus. » L'obsession narcissique fait de l'autre et de la relation un miroir qui doit être valorisant à tout instant. Un miroir qui renvoie une vie de rêve et un autre qui doit ressembler au plus près à la femme ou à l'homme rêvés. « J'ai toujours peur, si un jour je ne réponds plus exactement à ses critères, qu'il me laisse tomber à la seconde. » Quand on s'aime à travers l'autre, on ne s'aime pas et on n'aime pas l'autre.

« Il se désire dans l'ignorance de lui-même. » Voir dans l'autre un miroir – si tu es beau, je suis belle et si tu es belle, je suis beau – et voir l'autre comme un miroir – dis-moi que je suis belle, que je suis beau – c'est courir derrière une image de soi qui vient réparer celle que l'on a – une bien piètre image. C'est donner à voir une vie que l'on n'a pas, un amour que l'on ne vit pas. Un amour, bien souvent, que l'on n'a jamais vécu.

Qui n'aime que lui a été mal aimé. Il ne cesse de demander l'amour qu'il n'a pas reçu. Il n'a pas de place pour l'autre, parce que d'autre, il n'y en a jamais eu. Un autre, avec un vrai regard, une attention qui fait de lui une personne à part entière : une attente qui respecte son désir et pas celui d'un autre. « Mon chéri, ma chérie, fais ce que *je* pense être bon pour toi. Fais-le *pour* moi. » C'est ainsi que, déjà tout petit, on peut entrer dans le rêve d'un autre. Adulte, on continue à entrer dans le cadre rêvé de l'être aimé pour lui plaire. Nous pouvons ainsi vivre des « vies de rêve » qui sont le rêve d'un autre mais pas le nôtre. « J'ai une vie de rêve, mais c'est le sien, pas le mien. »

« Je sais que nous avons une vie qui pourrait en faire rêver beaucoup. Mais je ne me sens pas aimée. » Il est des apparences de vie comme des semblants de discours qui cachent une pauvreté d'échanges et d'amour partagé. La richesse n'est qu'extérieure.

Des hommes, des femmes, ne cessent de dire leur amour, de se l'entendre dire : la jouissance est là, dans la conviction qu'ils se créent de vivre un grand amour.

Mais le vivent-ils ? Ne mettent-ils pas plus d'amour à le dire qu'à le vivre ? Trop de discours peut masquer un grand vide, la mort des sentiments.

Des poètes, des musiciens ont chanté l'amour de leur dame. Mais leurs mots contenaient plus d'amour que leur cœur. Eux-mêmes éprouvaient plus d'amour pour leurs belles paroles que pour leur belle dame. Il est un joli mot d'Elsa concernant Aragon, elle pour qui des pages et des pages d'amour ont été écrites : « Quand je te demande si je te dérange, tu réponds : "Oui, j'écris un poème sur Elsa." » J'aime penser à toi, dire combien je t'aime, comme mon amour est beau ; je t'en prie, ne me dérange pas.

On peut s'enfermer dans la légende que l'on s'est créée : il importe d'être et de rester un couple idéal pour les autres, plus encore que de le vivre. Combien de couples ont donné à voir d'eux une image si parfaite que leur séparation a donné lieu à une totale incompréhension. La distance qui s'était peu à peu installée, ils l'avaient comblée en se racontant une autre histoire que la leur : une histoire qu'ils donnaient à voir avec sincérité, aussi bien dans l'art de dissimuler que celui d'inventer. Ils y croyaient. Est-ce ceci auquel Aragon fait allusion dans son expression « mentir-vrai » ?

Dans ce *mensonge*, cette réalité revisitée par un regard trompeur, il n'est pas bon de s'approcher trop près de sa vérité comme de celle de l'autre : l'autre trop présent, si l'on prenait le temps de le regarder et de vivre à ses côtés, pourrait ne plus correspondre à l'idée que l'on s'en fait. Elsa avait écrit à Aragon : « Il ne faut surtout pas s'aviser de faire quoi que ce soit avec toi, ensemble. » Comme j'aime t'aimer, mais sans toi.

Si vivre avec l'autre, c'est en réalité ne vivre qu'avec soi, s'agit-il bien d'aimer ?

« Adam connut Ève. » Connaître : mettre la main dessus. Se laisser toucher, impressionner, atteindre, déranger.

Je me laisse toucher par toi, émouvoir. Le deux est relation. Le deux est mouvement ; de l'un vers l'autre, et de chacun vers lui-même. On ne peut se connaître qu'en laissant l'autre nous « mettre la main dessus », sur notre peau et sur nos maux : notre corps, notre vie, notre histoire, nos secrets.

L'autre tient dans le creux de sa main une vérité de soi que l'on ne connaît pas, dans le creux de son oreille des mots que, seuls, nous n'aurions pas entendus, dans le creux de ses bras une douceur que, sans lui, nous n'aurions jamais sue. Toute rencontre n'est-elle pas l'évidence d'une reconnaissance mutuelle ? Je te reconnais parce que tu me reconnais. Tu me reconnais parce que je te reconnais.

« Je le connaissais bien avant de l'avoir rencontré. » Cette femme, cet homme, dont le regard, le sourire, les gestes sont si familiers, l'avons-nous rencontré parce qu'il appartient à la même « famille » d'âme, de pensée, ou notre regard l'a-t-il rendu familier tant nous désirons qu'il soit conforme à l'idée que nous en avions ? Il n'est pas facile de répondre à cette question. La réponse se fait attendre, le plus souvent. Le temps met seul en évidence – et encore, l'amour peut rester aveugle – ce qu'il en est véritablement de l'autre et de ce que nous voudrions qu'il soit. « Comment ai-je pu à ce point me tromper ? Moi qui croyais si bien le connaître ! »

Connaître l'autre est une découverte de chaque instant. On ne le connaît pas une fois pour toutes ; on le re-connaît, chaque fois mieux qu'on ne l'avait connu. Car trop souvent on le méconnaît. Et on se sent méconnu. Tant de douleurs, sources d'erreurs, s'interposent entre notre regard et ce qu'il en est de sa réalité. Tant de bonheurs aussi, bonheurs rêvés, bonheurs passés font comparer l'incomparable et empêcher de vivre ce qui est à vivre. On voit l'autre avec les yeux de l'attente déçue, du désir incompris, de l'espoir inaccompli. C'est dire qu'on ne le voit pas.

On met à sa place regret, attente, déception et désillusion. Et on s'arrête là, à un état de fait que l'on interprète, mal ; ne serait-ce que parce qu'il nous fait mal. On reste seul avec sa propre histoire. L'autre n'est que prétexte à la vivre et la revivre. On perd connaissance.

On perd connaissance avec l'autre ; surtout avec soi, l'essentiel de soi. Ses désirs, ses joies, son potentiel d'amour et de générosité. Sa capacité à aimer, et être aimé. On a tout oublié. On a laissé s'évanouir ses rêves, s'envoler le beau et le bon. Parce qu'on n'a pas voulu voir au-delà de ce que l'on connaît. Du malheur que l'on connaît. De l'autre tel qu'on croit le connaître. Et de soi, tel qu'on croit être. Parfois, on perd l'autre de vue – on ne *veut plus le voir, peut plus le voir* –, avant de mieux le voir. Et on se perd de vue avant de mieux se retrouver.

Retrouver connaissance, c'est accepter que l'autre soit autre que ce que l'on croyait, se laisser *toucher* par ce que l'on ne connaît pas de lui : être charmé, émerveillé, mais aussi anéanti, parfois, bouleversé. Retrouver connaissance, c'est aussi se laisser *toucher* par ce que l'on ne connaît pas de soi, de l'autre : on laisse entrer l'autre, de l'autre dans notre vie. On laisse l'autre nous faire autre.

L'amour, c'est la relation ; et la relation, la fin d'un discours fermé où le « je » ne laisse pas de place à l'autre. Un « je » qui ne s'intéresse qu'à lui, même quand il s'aventure vers un « tu ». « Quand elle me parle, j'ai l'impression qu'elle parle toute seule. Elle pose des questions, mais ne prend pas le temps d'écouter mes réponses. » Certains ne cessent de parler, mais ils ont en réalité arrêté toute vraie communication avec l'autre. Le discours est un fond sonore qui fait écran à l'essentiel : il n'a pas pour but de mieux connaître l'autre ou de se faire connaître de lui. Au contraire, il permet de ne pas se dévoiler : le débit de paroles crée une distance, interdit tout silence, évitant ainsi la réflexion et le partage. Parle-moi de toi ; mais je ne veux rien savoir de toi.

« Il me demande mon avis, mais il ne veut pas entendre ce que je dis. » Toute parole de l'autre peut être vécue comme un danger potentiel : elle est intrusive, invasive. Elle pourrait réveiller des blessures passées, de celles qui ne sont pas cicatrisées et peuvent à chaque instant être ravivées. Si elle est critique, elle dérange l'idée que l'on se fait de soi, si on la juge comme décevante, elle dérange l'idée que l'on se fait de l'autre. Et là encore, à travers l'autre l'idée que l'on se fait de soi : si tu n'es pas tel que je l'imaginais, je me déçois d'avoir cru en toi et je perds une image idéale qui me rassurait. J'aimais le sentiment que j'avais pour toi. J'aimais t'aimer. Je m'aimais à travers toi.

Ceux qui *se mettent en avant* et ne cessent de parler d'eux veulent en réalité éviter toute confrontation avec l'autre, et avec eux-mêmes. Ils ont trop peur de n'être pas aimés : d'entendre des mots et pensées qui iraient dans ce sens. Ils créent un espace qui ne laisse entrer personne par crainte de revivre les sensations pénibles d'un passé qu'ils veulent oublier. La vie, au travers de l'autre, par le fait d'être relation, mouvement, émotion, les « touche » trop. « Je voudrais mieux la connaître, mais elle ne se laisse pas approcher. » Qui a trop peur de n'être pas aimé ne se laisse pas aimer.

« Je ne peux jamais exprimer ni tristesse ni colère. Je le sens si fragile ; tout l'atteint. » Il est des pères et des mères dont la souffrance n'est pas dite, mais se laisse entendre, au-delà des mots, à fleur de peau. Ils sont *susceptibles*. Rien ne peut leur être dit sans provoquer aussitôt des réactions démesurées. Ils pleurent, se mettent en colère, ou s'enferment dans un silence réprobateur. Ou bien ils dissimulent leur sensibilité derrière une autorité et une fin de non-recevoir, des affirmations ou des refus, une ironie ou des réflexions acerbes qui ne laissent aucune place à la moindre contradiction. L'autre n'a pas la possibilité de s'exprimer.

Des enfants devenus grands apprennent ainsi à se taire et à garder pour eux leurs pensées et leurs souhaits. Par la suite, s'affirmer éveille en eux un sentiment de culpabilité : s'ils prennent position, c'est toujours aux dépens d'un autre. Dire qu'ils ont mal, c'est faire mal. « J'ai osé lui dire ce que j'avais sur le cœur. Mais après je n'ai cessé de pleurer. Je souffrais du mal que j'avais pu lui faire. » Si je parle, je te fais mal ; si je me tais, je me fais mal. Que faire ?

Dans le face-à-face, le deux est confrontation : affirmation de deux vérités, et non soumission de l'une aux dépens de l'autre. Pauline Bebe, dans son livre *Isha*, traduit ainsi « une aide qui lui est assortie » : « Littéralement "contre lui", dans le sens de la proximité ou de l'opposition ; ces deux termes contradictoires décrivent succinctement les relations entre les deux sexes et font allusion à l'attitude ambivalente de l'auteur à l'égard des femmes. »

Mais l'un va-t-il sans l'autre : pour se rapprocher, ne faut-il pas pouvoir s'opposer ? Pour dire oui, savoir dire non : pour être « tout contre », selon le mot de Guitry, être parfois contre.

Même si nous rencontrons qui nous ressemble, chacun de nous est unique : il ne peut par conséquent penser comme nous, vivre comme nous, aimer comme nous. Comment savoir ce qu'il en est de notre différence si nous ne nous donnons pas, l'un et l'autre, le moyen de l'exprimer ? Sans agressivité ni violence, mais avec douceur et respect, je prends le temps et la peine – parfois cela me peine d'entendre ta peine – de t'écouter, d'entendre tes joies et tes difficultés. Et je prends le temps à mon tour – il est des paroles qu'il coûte de dire – d'exprimer le plus clairement et simplement possible ce qu'il en est de mon ressenti, de mes chagrins, mes bonheurs, mes désirs. Je ne pars pas du principe que tu sais tout de moi, ni que je sais tout de toi. Je t'apprends à mieux me connaître ; apprends-moi à mieux te connaître.

« Je le connais mieux que moi-même. Plus rien ne m'étonne. » Celui ou celle qui parle ainsi croit connaître l'autre, certainement parce qu'il sait comment il réagit : ce qui lui fait plaisir, mais surtout ce qui éveille en lui déplaisir, tristesse ou colère. Il a enfermé l'autre – et s'est enfermé avec lui – dans une routine où tel acte, geste, ou parole donne lieu à tel acte, geste ou parole. Les deux partenaires jouent toujours le même rôle, suivant le schéma infernal d'une répétition sans fin. Qu'apprend-on alors de soi, qu'apprend-on alors de l'autre ? Rien. Si ce n'est, à chaque fois, la réassurance de ne pas s'éloigner de ce que l'on connaît, ou croit connaître, de l'autre et de soi. Le connu malheureux prend le pas sur un bonheur inconnu.

Si l'un ou l'autre rencontre un nouveau partenaire, il découvre une part inconnue de lui. Neuf d'un prétendu savoir de l'autre qui interdit de grandir, il se voit capable de ressentir, dire et vivre ce dont il se croyait incapable auparavant. « Avec elle, je ne me reconnais pas. Je m'attache chaque jour à rendre notre vie plus belle ; avant, je m'endormais sur mes acquis et laissais la relation peu à peu se détériorer. » Une vie ne suffit pas pour tout connaître de soi ; comment penser connaître un autre mieux que soi ? C'est le réduire au même, nier sa différence, non par rapport à soi, mais pour lui-même. C'est lui refuser toute possibilité d'évoluer : tu resteras à jamais celui que tu es. C'est un cadeau réciproque que de laisser l'autre devenir autre.

« Cela fait plus de trente ans que nous vivons ensemble ; et chaque matin, je me réveille avec un inconnu. » L'amour n'est-il pas le plus beau chemin pour se connaître au travers de l'autre et l'aider à mieux se connaître ? Nous sommes alors ouverts sur le champ toujours plus vaste de tout ce que nous avons à découvrir ensemble.

« Homme et femme, Il les créa. » Homme et femme dans leur différence et leur complémentarité. La femme a besoin de l'homme, l'homme a besoin de la femme.

En premier lieu, chacun peut trouver en lui-même cette alliance du deux, masculin et féminin. Et retrouver ainsi l'unité perdue, divisée, « diabolisée » (*diabolos*, du grec : qui désunit).

« Comment penser m'entendre avec un homme quand toutes les femmes de ma famille n'ont fait que souffrir ? » Entre « toi » et « moi », « toi » dont je rêve et « moi », telle que la vie m'a faite – ou défaite –, tant de blessures, de douleurs et de rancunes à balayer devant ma porte pour te laisser entrer dans ma vie, dans mon histoire. La femme qui est en moi ne demande qu'à vivre. Mais puis-je encore t'aimer ?

Entre « toi » et « moi », « toi », la femme idéale que je cherche depuis si longtemps, et « moi », qui suis las d'avoir cru si souvent te trouver pour te perdre, même quand tu étais là, quel chemin me faut-il parcourir pour te rencontrer, te reconnaître et m'abandonner au bonheur de t'aimer ?

Avant de réconcilier le féminin et le masculin que chacun porte en soi, que de discordes, de souffrances et de malentendus à dissiper ! Avant d'ouvrir la porte et de recevoir chez soi l'être aimé, que de pensées et d'idées à quitter, d'objets dont il faut se libérer, symboles d'un passé trop encombrant, de vide à créer pour permettre à la vie de se renouveler. Pour pousser la porte et entrer chez l'être aimé, que de peurs à abandonner, de chagrins et d'obsessions à laisser s'envoler, loin, bien loin.

« Quand je suis entrée chez lui, ses murs étaient couverts des photos de son passé. Je n'avais pas de place dans sa vie. » Les images du passé ne sont pas toujours visibles à première vue ; elles n'en font pas moins écran à une véritable rencontre. « Je ne voulais pas faire comme mon père, avoir une femme qui ne m'aime pas, pire, qui aime ailleurs. Une femme dont le ton et l'attitude ne sont que mépris et exaspération. » Quel homme pourrait souhaiter une telle situation ? Le père ne la souhaitait pas davantage. De même, une mère qui voit sa fille lui reprocher avec violence sa vie de femme n'avait pas fait le choix de vivre ainsi. Elle n'a pas su, pas pu faire en sorte qu'il en soit autrement. Les enfants qui rejettent avec force la vie de leurs parents ont peur de vivre ce que ces derniers ont vécu. De le revivre, parce qu'ils l'ont déjà *vécu*.

Si le père et la mère subissent leur vie, les enfants la subissent aussi, à leur façon. Leur vie amoureuse est entachée d'une relation qui ne leur appartient pas et qu'ils portent en eux. « Pour m'engager avec une femme, j'ai besoin d'être sûr d'elle ; comme je ne le suis jamais, j'ai toujours deux histoires à la fois. » La peur de revivre ce que le père et la mère ont vécu est *viscérale*, elle n'obéit ni à la logique ni à la raison. Retrouver confiance dans une relation unique demande à retrouver en soi une qualité d'union du père et de la mère qui n'a jamais existé. À réconcilier le père et la mère.

Les enfants de parents qui se sont aimés ont plus de facilité à *répéter* une vie amoureuse épanouie et heureuse ; ils portent en eux l'harmonie possible d'un deux. Pour ceux qui n'ont jamais connu que des conflits, même si le deux est ardemment désiré, il ne peut être source que de conflits. « J'aimerais tant connaître la douceur d'un bonheur à deux. Mais je ne vis que drames et disputes. Quand je vois un couple s'embrasser, cela me paraît si simple. Pour moi, c'est toujours compliqué. »

Comme pour ceux qui ont souffert d'une absence, l'autre ne peut être qu'absent. « Quand j'ai besoin de lui, il n'est jamais là. Mon père non plus n'était pas là. » Il est des besoins dont la réponse se fait attendre depuis si longtemps qu'ils ne peuvent plus se dire, même se penser. L'autre a été et continue à être absent, dans sa présence, dans son écoute, dans son attention à l'autre. À quoi bon s'exprimer pour n'être jamais entendu ? Et comment savoir ce qui est bon pour soi, sans un autre qui puisse, si ce n'est le satisfaire, déjà l'écouter ?

Cet autre, c'est déjà nous-mêmes. Nous pouvons être à notre écoute : ne savons-nous pas quelles sont les qualités de celui ou celle que nous sommes prêts à aimer et qui est prêt à nous aimer ? Nous pouvons les exprimer, pour nous-mêmes ; nous inscrire dans la sensation de sa présence, de ce qu'il est, comme s'il était déjà là. Si nous sommes dans la même « vibration » que lui, ainsi pourra-t-il nous reconnaître : l'autre est toujours le miroir de notre état d'être. Si je suis déjà prêt(e) à t'aimer, ainsi seras-tu prêt(e) à m'aimer.

En l'imaginant on a alors fait un pas en avant, dans sa direction. Mais aussi un pas en avant dans la direction de notre bonheur : on imagine qui peut nous rendre heureux. On s'éloigne de son passé, on sort d'un imaginaire familial, comme on sort d'une histoire qui n'est plus la nôtre. Pour entrer dans un autre imaginaire où chacun réalise en lui-même le couple équilibré et harmonieux de son masculin et de son féminin.

« Il a fait de moi une femme. » Un homme ne peut faire d'une femme *une femme,* si celle-ci n'a pas fait une part du chemin. Elle n'est plus la femme soumise qui laisse à l'autre toute la place, ni celle qui n'en laisse aucune, par crainte ou négation de sa féminité. Une femme qui n'a pas fait la paix avec *le masculin*, par excès d'autorité paternelle ou au contraire l'image d'un père « qui n'a pas su s'imposer », ne sait à son tour ni s'imposer ni ne laisse l'autre s'imposer. « Je sais que sous des aspects féminins, j'avais un comportement très masculin. C'est moi qui prenais toutes les décisions. Je voulais toujours contrôler la situation par crainte, comme ma mère, d'être dominée. Maintenant que je n'ai plus peur de l'être, je laisse l'autre me guider sur des chemins inconnus ; et c'est bon. » Une femme qui peut elle-même conduire sa vie accepte de se laisser conduire.

De même un homme, en paix avec sa part féminine, n'a plus besoin de fuir une mère castratrice, culpabilisante ou envahissante. Il peut accueillir sans danger le mystère de son monde intérieur, et laisser parler sa sensibilité, sans confondre fragilité et faiblesse, tendresse et lâcheté, émotions et sensiblerie. « Maintenant, je peux parler de mes sentiments. Quel bonheur, quelle libération ! Les mots ne restent plus enfouis dans ma gorge et je n'ai plus le désir de fuir si quelque chose me dérange. J'ai une communication beaucoup plus riche et vivante. » Dans l'intimité retrouvée avec soi-même, l'intimité de l'autre n'est plus une menace. Un vrai dialogue peut s'instaurer.

Un vrai dialogue où chacun laisse l'autre s'exprimer. Car une femme ne peut laisser vivre sa féminité face à un homme que *le féminin* terrifie, un homme affirmer sa virilité face à une femme qui n'a de cesse de lui reprocher ce qu'il est et ce qu'il fait, de casser ses élans, allant parfois jusqu'à l'humilier. Un vrai dialogue suppose que l'un et l'autre ont *quitté leur père et leur mère*, dans le sens d'un face-à-face intérieur qui ne connaît que le rapport de domination-soumission, pour se donner à vivre un possible face-à-face d'égal à égal. Ou chacun couronne l'autre : chacun reconnaît dans l'autre un roi et une reine.

« "Je vous aime", ce sont les paroles du sacre prononcées tandis que chacun pose sur la tête de l'autre la couronne, l'investit d'une supériorité avec laquelle personne au monde, si pourvu qu'il soit de tous les dons, si paré qu'il soit de toutes les grâces, ne peut songer à rivaliser », écrit Nathalie Sarraute.

Mais combien de « rois » – des rois sans envergure – ont voulu régner seuls : ils ont mis *à leur service* et non *face à eux* celles qui auraient pu être reines. Un exemple en est donné par Gustav Mahler qui dit à Alma au moment de leur mariage : « Un ménage de compositeurs serait ridicule. » Ainsi que l'évoque Florence Montreynaud, il lui assigne une seule « profession », le rendre heureux. « Tu dois te donner à moi sans conditions, tu dois soumettre ta vie future à mes besoins et ne rien désirer que mon amour [...] désormais, ta musique, c'est la mienne... » Alma, si belle et talentueuse, crie un jour son désespoir : « Souvent, j'ai l'impression qu'on m'a coupé les ailes. Gustav, pourquoi moi, l'oiseau ivre de vols et de coloris éclatants, m'as-tu enchaînée ici, alors qu'une oie blanche eût si bien fait ton affaire. » Il répond : « Tu es une oie. »

Une réponse qui fait frémir et dit en peu de mots tant de frustrations passées. Comment une femme peut demander à un homme de la couronner quand d'autres avant elle l'ont si peu été et qu'elle porte encore dans sa tête et dans son cœur cette incapacité à l'être ? Personne ne peut faire d'elle une reine si elle ne s'est pas elle-même reconnue reine. Et peut-elle faire d'un homme son roi si elle n'est pas reine ?

Une femme acceptée dans la plénitude et la beauté

de son féminin et qui n'a plus à combattre pour exister, cette femme accepte la virilité d'un homme à ses côtés. Mais dès lors qu'elle est menacée dans son existence, non seulement de femme mais d'être humain, elle lutte contre la prise de pouvoir qui peut être celle d'un homme. Et si elle est excessive dans ses réactions, elle ne le laisse pas *être un homme*. Elle voit dans chacun de ses actes domination et répression. Elle veut à son tour dominer et régner en seul maître dans la maison. Pour exister, elle ne le laisse pas exister. Pour s'exprimer, elle le réduit au silence. Elle ne connaît de la relation à deux que l'alternative maître ou esclave. Elle ne sait pas que cela peut être ni maître ni esclave.

Le texte de la Genèse, écrit Pauline Bebe, « présente deux récits de la création que les exégètes critiques attribuent à deux sources différentes. Dans le premier récit, la femme est créée en même temps que l'homme sous le nom générique de "adam" : être humain. Tous deux sont créés à l'image de Dieu. L'humanité apparaît sous deux formes : féminine et masculine. Cette humanité dans sa complémentarité est un reflet de la divinité. Leur union est sacrée. Et la femme est l'égale de l'homme.

Cette femme mentionnée une seule fois dans la Bible est Lilith. Celle-ci n'aurait pas accepté la position dominatrice de l'homme...

Le second texte présente la création de la femme comme remède à la solitude de l'homme. La femme est alors créée à partir du côté ou de la côte de l'homme. Selon le Midrash (Gen. R, 18, 2...), Dieu aurait "décidé de ne pas la créer à partir de la tête d'Adam de peur qu'elle ne fût prétentieuse, ni à partir de son œil de peur qu'elle ne fût curieuse, ni à partir de son oreille de peur qu'elle ne fût indiscrète, ni de son cou de peur qu'elle ne fût hautaine, ni à partir de sa bouche de peur qu'elle ne fût médisante, ni à partir du cœur de peur qu'elle ne fût jalouse, ni à partir de la main de peur qu'elle ne fût chapardeuse, ni à partir du pied de peur qu'elle ne fût coureuse, mais il l'a créée à partir de la côte, endroit modeste d'Adam [...] mais malgré cela elle réunit tous les défauts". »

Elle est *l'autre côté*, l'homme et la femme ne formant qu'un et chacun portant en lui sa part mâle et femelle. Cette femme tout d'abord appelée *Isha* sera nommée Ève par l'homme : *Hava*, même racine que *Haï*, la vie. Elle devient mère.

> « *J'ai fait naître un homme,*
> *conjointement avec l'Éternel.* »

Genèse 4,1

À l'origine du monde, il y aurait deux femmes. Ève, au côté de l'homme, autre côté de l'homme, qui donne la vie, et Lilith, son égale, unie à lui dans un lien sacré. La première union est féconde, la seconde, bénie, incarnation dans l'union de la présence divine. La première ouvre à la connaissance, mais portera la faute. La seconde ne se soumet pas, elle est l'alter ego, celle qui parle en face à l'homme, d'égal à égal : elle ne s'efface pas mais au contraire se confronte, s'affronte si nécessaire.

La femme n'est-elle pas Ève et Lilith, à la fois féconde et égale ? Dans le partage et la création, la mise au monde de l'un et de l'autre, mais aussi d'un enfant, d'une œuvre, de recherches, de rêves.

« Je les entraînais dans un monde de rêves et eux me donnaient des fondations pour bâtir mes rêves. » Ainsi parlait Niki de Saint-Phalle des hommes qui l'aidaient à créer, et plus précisément de Tinguely : « C'est mon positif, il est unique au monde, une turbo-génération à lui tout seul. » Ils ont créé ensemble « dans une répartition des rôles où l'homme s'occupe de la mécanique, du moteur, de l'électricité, et la femme des formes, des volumes et des couleurs ».

Une autre belle image de complémentarité est celle de Pierre et Marie Curie, alliant les recherches du physicien et de la chimiste. Leur travail est mené en commun, comme l'attestent leurs notes, où se mêlent leurs deux écritures, et leurs nombreuses publications, signées le plus souvent de leurs deux noms. Ils passaient leurs soirées à travailler *l'un en face de l'autre*.

« Homme et femme, Il les créa. » Dans leur similitude, deux êtres qui peuvent marcher ensemble et se comprendre. Dans leur complémentarité, deux êtres capables à leur tour de créer. Une création en contact avec la source : le Un créateur, à l'origine de leur union, de leur unité retrouvée. Afin, ainsi que le dit Yvan Amar, d'« accomplir avec un homme, avec une femme, *l'extrême naissance* : mettre l'UN au monde à deux ».

II

*Les métamorphoses
du désir*

« Je n'ai pas de mari »

« "Va chercher ton mari et reviens ici.
– Je n'ai pas de mari", répondit la Samaritaine.
Ieshoua lui dit : "Tu as raison de dire : Je n'ai
pas de mari. Tu en as eu cinq et celui qui est avec
toi n'est pas ton mari." »

Jean 4,17

« Maintenant que je suis mariée, je suis encore plus seule que lorsque j'étais seule. » Cette femme pourrait dire « je suis mariée, mais *je n'ai pas de mari* : je n'ai pas le mari qui répond à mes attentes ». De même qu'un homme peut dire « *je n'ai pas de femme* : je suis marié, mais je n'ai pas la femme qui correspond pas à mon idéal ». La femme attend le prince charmant qui lui-même cherche la femme idéale. Peuvent-ils un jour se rencontrer ?

Quand ils se sont mariés, l'homme et la femme pensaient avoir rencontré la femme idéale, le prince charmant. L'un et l'autre se sentent maintenant esseulés de cette moitié qu'ils espéraient avoir trouvée : celui ou celle qui allait enfin combler leur manque. Ils en attendaient tout, ils ne partagent plus rien. Ou si peu comparé à l'espoir qu'ils portaient en eux. « L'amant qu'il était, je l'aimais. L'homme qui est devenu mon mari, je ne l'aime plus », « Quand je l'ai rencontrée, je voyais en elle la femme idéale. Elle était tout ce qui me plaisait : sensible, joyeuse, attentionnée, curieuse de tout. Nous parlions pendant des heures. Depuis que nous sommes mariés, je ne vois plus que ses défauts. » Mon mari, ma femme, tu es près de moi, mais je n'ai pas de mari, je n'ai pas de femme.

Chacun pensait qu'il suffisait d'être deux pour ne plus être seul. Et voilà que la solitude les rejoint, plus forte encore, car empreinte d'une nouvelle désillusion. Que se passe-t-il, ou qu'auraient-ils l'un ou l'autre laissé passer, pour que le contrat – en l'occurrence le contrat de mariage – ne puisse être honoré ainsi qu'ils l'auraient espéré ? Il ne tient pas ses promesses : une vie heureuse à deux. Quelque chose vient à manquer, quelque chose d'essentiel, qui laisse à penser que ce n'est pas ainsi que l'on se voyait marié ; ce n'est pas là le mari – ou la femme – que l'on souhaitait. Toi dont je partage la vie, ce n'est pas encore toi pour moi, ni moi pour toi. Ou bien c'est toi mais ce n'est pas toi tel que je t'attendais, toi, celle que je cherchais.

« Je t'ai si longtemps attendu, toi qui allais changer ma vie. Et j'attendais tant de toi, presque tout. J'avais connu des hommes ; ils n'avaient fait que passer. J'étais, comme on dit, une femme seule et j'en étais malheureuse : les expériences, fût-ce les plus belles, me laissaient en souffrance. La vie, ma vie était en attente : comme une longue préparation à un avenir probable, mais incertain. Une terre en jachère, pire, laissée à l'abandon. L'amour devait faire de moi une vraie femme : de ma vie, une vraie vie de femme. » *Je n'ai pas de mari* : maintenant que je suis mariée, je ne sais toujours pas ce que c'est que d'être une femme. Ni d'avoir une vraie vie de femme.

« Je te cherche depuis la nuit des temps, toi qui seras ma compagne. Je te connais déjà tant tu m'es si souvent apparue en songe. Tu seras ma tendre épouse, mon amante et ma confidente. Tu seras celle que mon épaule pourra réconforter et dont les paroles sauront me rassurer. Tu seras là, près de moi, si jeune dans ta beauté innocente et si mature de cette expérience innée dont la femme possède le secret. Tu seras ma femme, celle qui me donnera le désir de vivre et d'avancer. » *Je n'ai pas de femme* : maintenant que je suis marié, je me sens orphelin d'une douceur maternante, esseulé dans ma vie d'homme au quotidien, et mon désir reste vacant de ce qui pourrait l'éveiller et le combler.

Ainsi on peut être marié, comme la Samaritaine, et avoir eu auparavant l'expérience de cinq mariages – ou cinq fois l'espoir que « c'est bien lui » ou « c'est bien elle » – et prononcer ces mots : Je n'ai pas de mari ou je n'ai pas de femme. Se les dire à soi-même, dans l'intimité de ses pensées, ou se laisser deviner par qui sait lire en nous mieux que nous-mêmes. Jésus a le don de voir en elle la vérité ; c'est ainsi que la Samaritaine le reconnaît. « Seigneur, je vois que tu es un prophète. » Et plus loin : « Venez voir un homme qui m'a dit tout ce que j'ai fait. Ne serait-ce pas le Christ ? » Il est une vérité qui se vit au-delà des apparences et que le social – les contingences, les convenances, les conventions – entretient comme un masque que l'on porte et auquel on finit par croire ; mais il est un jour où elle ne peut plus se cacher, ne serait-ce qu'à soi-même.

Une femme, un homme peuvent être mariés, au regard de la loi et de la société, mais dans la vérité de leur désir *ne pas avoir* un mari, une femme. Non pas qu'ils n'aient de sentiments profonds à l'égard de leur mari ou de leur femme, mais ils ne cessent de remettre en question le bien-fondé de ce lien. Parfois, ils ne se reconnaissent plus, n'aiment pas ce qu'ils sont devenus : « Par moments, j'aime la femme qui est mariée avec cet homme. Féminine, légère, essentiellement préoccupée, et heureuse, de lui plaire. Je suis la femme qu'il attend de moi. À d'autres, cette femme m'ennuie, et je pourrais même dire qu'elle me trahit : elle ne me ressemble plus. Je ne me reconnais pas en elle », « Parfois je m'amuse avec elle, nous pouvons rire de tout et je la trouve très sexy. Je suis fier d'elle et de nous. Mais souvent, je pense que nous n'avons rien à faire ensemble et que je ne fais plus rien de ma vie. » On peut à certains moments se sentir mariés ; à d'autres, ne plus l'être.

Le plus souvent chacun renvoie la faute à l'autre : à son comportement et même à ce qu'il est. « Je l'aime, mais... », « J'aime mon mari, mais je n'aime plus la vie que j'ai avec lui. Il ne tient jamais compte de moi : de ce que je suis, de ce que je vis, de ce que j'ai envie de vivre », « J'aime ma femme, mais je n'aime pas ce qu'elle est devenue : elle ne prend plus le temps de vivre, sans cesse occupée à son travail ou des tâches ménagères. Je ne la reconnais plus. » Je t'aime, mais je ne vois plus en toi, en nous, que frustrations et insatisfactions.

Hommes et femmes sont-ils insatisfaits car ils n'ont pas rencontré *la bonne personne* – cet homme ou cette femme avec qui le bonheur est possible – ou bien rien ni personne ne peut combler un manque d'amour qui les accompagne depuis toujours ? Un manque d'amour qui tient lieu parfois de compagnon : il est là depuis si longtemps qu'il est devenu difficile de s'en séparer. Il prend toute la place et ne laisse pas la liberté d'aimer : sa présence interdit la présence d'un autre réel et aimant. « L'amour, je m'en suis fait une raison, ce n'est pas pour moi. » Celui ou celle qui souffrent de n'avoir pas été aimés vivent avec la douloureuse sensation d'un amour toujours insatisfait, comme s'il en était ainsi de leur destinée.

Dans cette conviction d'un manque passé qui ne peut que se perpétuer dans une relation présente ou à venir, ne sont-ils pas alors condamnés à revivre d'autres manques, manque d'amour, mais aussi manque à aimer, manque à être ? Ceux qui se sont sentis mal aimés ont du mal à aimer : le manque du passé s'infiltre dans toute relation et la rend *impossible*. Car ce manque, ils ne cessent d'en faire porter à l'autre la responsabilité, lui reprochant de ne pas leur donner ce que d'autres déjà ne leur ont pas donné. « C'est toi qui ne sais pas m'apporter ce dont j'ai besoin. » Ils accusent l'autre de ne pas les aimer, quand ce sont eux qui ne savent pas – ou ne peuvent pas – aimer. Mais ils prétendent le contraire : « C'est toi qui ne sais pas aimer, moi je sais. » De même, combien se plaignent d'un manque de désir de la part de l'autre, quand ce sont eux qui ne savent rien de leur propre désir. Tu ne me dis rien de ton désir pour moi, alors je ne sais rien de mon désir pour toi. Que désirer pour moi si tu ne me désires pas ?

Qu'en est-il de notre désir ? Il n'est pas aisé de revenir à sa source ; il ne l'est pas davantage de son absence. Manque de désir qui prend souvent l'apparence du manque de l'objet de désir. « Je n'ai pas la femme ou l'homme de mes rêves ; le manque est alors si douloureux que je ne désire plus rien. Même de vivre me coûte. » Ou alors « l'homme ou la femme que j'aime ne se comporte pas ainsi que je le voudrais. La frustration est telle que mon désir ne peut se porter ailleurs que sur ce qui m'est refusé. Et je n'ai plus envie de rien ». Fragile désir qui repose sur l'autre, fragile objet de désir. Je mets tout mon désir sur toi qui ne sais bien souvent pas ce que tu désires. Et moi-même, que sais-je de mon désir ? Je sais si peu de moi.

Ce que l'on sait de son désir est la plainte de ce que l'on n'a pas. Il se porte sur l'absence : l'absent et l'absente. « Je vis avec elle, mais elle ne vit pas avec moi », « Quand nous étions fiancés, je le voyais bien plus souvent que depuis que nous sommes mariés. » Et même l'autre présent, on ressent l'absence de ce qu'il pourrait être. « Je vis avec lui, mais je ne cesse de le comparer au mari que j'aimerais avoir. » Je t'aime, mais *tu n'es pas là*. Je t'aime mais *ce n'est pas ça*.

Je t'aime, mais j'aurais aimé de toi autre chose : d'autres paroles, d'autres pensées, d'autres dons. D'autres rêves, même. « Je ne désire pas ce que j'ai connu de mon enfance, je ne veux rien revivre de ce que j'ai vécu. Alors j'attends qu'il apporte autre chose, toujours autre chose. » Il est tant d'adultes qui ont de l'enfance le souvenir d'un manque. Le désir n'a jamais su où se porter ; il repose, se pose sur ce qui n'est pas : ce qu'ils n'ont pas eu. Ils ont manqué d'un amour qui leur donne le désir d'aimer ce qu'ils sont ; et par consé-quent ce qu'ils ont.

Le manque de désir ne trouve-t-il pas son origine dans un désir du manque ? Ce que je désire, c'est ce que tu ne me donnes pas. L'amour que je n'ai jamais eu.

Toute relation à l'autre se construit sur le manque. Que sait le bébé de son désir ? Il ne sait pas *en conscience* s'il est ou non bien aimé, il sait ce qu'il ressent, plus précisément ce que son corps ressent. Et il est normal pour lui que ses besoins soient comblés. Ce qui n'est pas normal est d'avoir à ressentir un malaise, une gêne, une souffrance. D'avoir à manquer : de soin, de présence, d'attention, de chaleur, de douceur. D'avoir faim et soif sans quiconque pour le nourrir et le désaltérer. Dans son état de totale dépendance, c'est l'autre qui vient à manquer. Le manque est manque de l'autre.

Avant de connaître l'amour, l'enfant connaît le manque. Ou plutôt il ne connaît de l'amour que le manque : l'amour qu'il n'a pas. Alors, il continue à demander ce qu'il n'a pas. Et il n'a jamais assez. Un des premiers mots qu'il prononce est le mot « encore » : il ignore ce qu'est la satiété. Des jeux, des mots, des mouvements peuvent être répétés à l'infini. Pourquoi mettre fin à ce qui suscite tant de plaisir ? Un plaisir toujours en relation à l'autre. Les balancements de certains enfants autistes sont les tentatives désespérées de trouver une stimulation extérieure dont ils sont douloureusement privés. L'enfant a soif de la relation à l'autre.

Tout ce qu'il vit, et possède, n'a véritablement d'existence que dans cette relation à un autre être vivant : tendre, doux et chaud, qui le berce, le caresse et lui parle. Dont la présence le rassure et le calme. On connaît son attachement à des objets dont la présence est permanence de l'être aimé, de l'être aimant : permanence au-delà de l'absence. Des animaux en peluche qui ne ressemblent plus à rien, mais ont déjà leur histoire – une histoire d'amour – le réjouissent bien davantage que tout autre jouet, quelle que puisse être sa valeur ; car la leur est au-dessus de toute autre : une valeur affective. « Ça n'a pas de prix », dit-on. Des tout petits rien qui ne sont pas rien du tout.

Avec le temps, les objets aimés souffrent de désamour et ce qui avait pour l'enfant du prix peut ne plus en avoir. Il entre dans l'univers de la comparaison, dans l'enfer du « l'autre a ce que je n'ai pas ». Ce qui le rendait riche à ses yeux le rend désormais pauvre au regard des autres. Encore une fois, il voit ce qu'il n'a pas. Un manque à avoir non seulement dans la relation à l'autre – tu ne me donnes pas assez – mais dans ce que l'autre a et que lui-même n'a pas – donne-moi ce que je n'ai pas et que tu as. Ce que l'on cherche à avoir, c'est pour soi et pour les autres : pour son plaisir propre, mais aussi pour le regard des autres.

« Avoir un mari », « avoir une femme », qu'est-ce que cela signifie ? Avoir ou ne pas avoir : est-ce en termes d'avoir que le mariage se mesure ? Que l'amour se mesure ?

« La mesure de l'amour est d'être sans mesure », a dit saint Augustin. Mais l'amour ne se mesure-t-il pas à ce qui nous est, ou non, donné ? L'amour est quantifié ; certainement est-ce plus simple que de le qualifier. « Comment tu m'aimes, disent les enfants, grand comme quoi ? Comme la Terre, comme le ciel ? » Si on demande ce qu'est l'amour, qui peut répondre ? Et s'entendre dire « je t'aime » ne suffit pas à nous convaincre si ces mots ne sont accompagnés d'actes qui en soulignent la véracité : des actes qui sont autant de preuves d'amour. Tu m'aimes un peu, beaucoup, à la folie... ? Prouve-moi que tu m'aimes ; prouve-moi combien tu m'aimes.

Prouve-le-moi sans cesse. Des caresses, des baisers, des mots doux, des présents : telles sont les attentes du bébé, qui restent les nôtres, bien des années après. Nous nous réjouissons de toutes les marques d'attention qui nous sont faites. Aussi notre esprit est-il envahi par l'attention que nous donnons à ces attentions. Et par conséquent à tout ce que nous jugeons être des fautes d'inattention. « Il oublie de m'appeler quand il le dit », « Elle ne pense jamais à ce qui pourrait me faire plaisir », « Il ne prend même pas la peine de m'écrire des mots doux », « Elle ne m'écoute pas quand je lui parle », « Il ne sait pas me dire je t'aime », « Elle m'a encore fait des remarques désagréables. Elle ne se rend pas compte de tout ce que je fais pour elle. » On dit que les adverbes – encore, toujours, même pas, jamais, décidément, au moins – sont les ennemis de la relation à deux.

Pouvons-nous avoir la certitude d'être aimés ? Être assez confiants en l'autre, et surtout en soi, pour n'être pas comptables des mots, gestes et cadeaux qui nous sont faits, sous quelque forme que ce soit ? Et rendre ainsi l'autre coupable : « Tu m'as donné ceci, tu ne m'as pas donné cela... » Notre valeur serait-elle celle des dons qui nous sont faits ? Autrement dit : à la valeur des cadeaux que tu me fais, je saurai la valeur que j'ai pour toi.

« Dites-le avec des fleurs. » Au-delà du plaisir à les regarder, les fleurs sont ainsi devenues le symbole d'une *pensée pour l'autre*. Et leur absence, celui d'une absence de pensée pour l'autre : « Il ne m'offre plus jamais de fleurs, donc il ne m'aime pas. » Parfois, c'est l'absence d'écoute et de considération du véritable désir de l'autre qui peut être vécue comme une absence de pensée, donc d'amour : « Je lui ai toujours dit que j'aimais les bouquets simples ; et il continue à m'offrir des bouquets composés. Donc, il ne m'aime pas. » « Dites-le avec des fleurs », mais pas n'importe lesquelles. Si les enfants peuvent offrir des fleurs des champs, le prince charmant ira cueillir pour sa belle un edelweiss, une fleur rare qu'il lui faut aller chercher au risque de sa vie. « Vois, je donnerais ma vie pour toi, tu vaux plus que ma vie. » Quelle valeur alors cette fleur n'a-t-elle pas ? Offre-moi ton cœur, mais pas n'importe comment.

Des bijoux, on le sait, ont la valeur des « grands » bijoutiers dont ils proviennent, au point que ces derniers en rendent la signature de plus en plus visible (signature que l'on copie, paradoxe d'un signe extérieur de richesse qui n'en est plus un). « À vrai dire, je n'aimais pas le collier qu'il m'a offert. Mais je savais qu'il était très cher, et je me suis sentie femme. » « Ma valeur est le prix que je te coûte », aurait pu dire cette femme. Je suis une femme qui a du prix, qui est précieuse à tes yeux. Si l'objet est cher, je suis chère à ton cœur. Je suis rassurée sur ton amour et sur ma féminité.

Aurait-elle raison de l'être ? Si des cadeaux de prix touchent le cœur d'une femme et caressent sa féminité, plus que cela, son être tout entier, ils viennent confirmer d'autres attentions, plus secrètes et plus subtiles, de ces gestes du cœur qui, s'ils ne sont pas nommés, sont néanmoins plus doux à recevoir que tout objet de prix. Mais parfois, les cadeaux concernent davantage celui, ou celle, qui les donne que celui, ou celle, qui les reçoit. La femme prend pour l'homme la valeur du cadeau qui lui est fait, et lui-même a d'autant plus de valeur que cette femme est ainsi honorée. « Il aime les cadeaux qu'il me fait. Mais moi, il ne m'aime pas, disait une femme de son mari, il est fier que l'on puisse voir sur moi le prix des cadeaux qu'il me fait. » Dans ce cas, où est la femme, où est l'amour ?

Richard Burton, offrant un des plus gros diamants du monde à Liz Taylor, voulait prouver la grandeur de son amour pour elle et ainsi le montrer au monde entier. Mais ne l'a-t-il pas fait également pour lui, voulant se prouver ce dont il était capable, et peut-être aussi la force d'une flamme déjà vacillante ? Tout cadeau, toute démonstration d'amour est réellement une preuve d'amour quand il est pensé *pour* l'autre, orienté vers son plus profond désir. Quand il est porté par un *vrai* sentiment d'amour. Et non chargé de convaincre l'autre d'un amour qui n'est pas ou qui n'est plus – convaincre en premier lieu celui qui fait le cadeau –, tentative de pardonner ou de se faire pardonner d'autres actes moins aimants, désir de se faire aimer en étant aimable, et de se faire aimer de la façon dont on aurait aimé l'être. Je veux te rassurer sur l'amour que je te porte ; ainsi je *me* rassure sur l'amour que je te porte. Et sur l'amour que *tu* me portes. Aime-moi pour que je m'aime.

Comme si l'amour, l'amour de l'autre, l'amour pour soi, avait besoin d'objets extérieurs, visibles et reconnus par tous, pour nous rappeler à son bon souvenir. Mais au lieu de tisser le lien, parfois ces derniers désunissent. Personne n'est dupe d'une volonté de croire à un amour qui n'est pas. Plus précisément qui n'est pas comme celui que l'on aurait désiré vivre. « Je n'ai pas de mari », ou « je n'ai pas de femme » : « ma » femme, « mon » mari, ne peut combler mes manques. Je ne suis pas en paix et ma soif est toujours vive.

Mais je continue à demander un amour qui ne m'est

pas donné. Je n'ai pas pardonné. Une femme peut exiger beaucoup d'un homme quand elle se sent quittée, abandonnée. C'est un père qui à nouveau la quitte et ne la reconnaît pas. Le dû qu'elle reconnaît être le sien peut être celui d'un mari légitime ; mais cette « légitimité » remonte souvent à plus loin. Elle est celle d'un lien entre un père et une fille qui n'a pas été « légitimé » dans un regard réciproque d'amour et de reconnaissance. Il ne suffit pas d'avoir été aimée par son père ; si on ne l'a pas admiré, que faire même de son admiration ? Une femme qui revendique un dû d'amour à un homme qu'elle n'estime plus, voire méprise pour tout ce qu'il ne lui donne pas, quelle image de l'homme a-t-elle ?

Et l'homme qui continue à lui donner en apparence ce qu'il ne peut lui donner du plus profond de son cœur fait preuve d'une soi-disant générosité qui n'est autre que sa culpabilité. Il paie la culpabilité de ne pas aimer la première femme qu'il aurait dû aimer : sa mère. Une mère pas assez aimable parce que pas assez aimante à ses yeux. Parce que ne correspondant pas à l'image d'une mère telle qu'il aurait aimé l'avoir – et la voir. Une mère dans une telle demande d'amour qu'il ne se sentait jamais à la hauteur de ce qui lui était demandé. Une demande qui donne à l'enfant la sensation d'une insatisfaction qu'il ne peut jamais combler. Ainsi, la retrouvant plus tard chez une femme, il ne sait à nouveau comment il pourrait la combler : il ne sait comment faire pour la satisfaire. À la place d'une caresse, d'un baiser, d'un regard d'amour, il donne ce qui paraît quantifiable et monnayable. Mais l'argent, sous quelque forme que ce soit, peut-il répondre aux besoins du cœur ?

Si pour celui qui donne le cœur n'y est pas, celui

qui reçoit en exigera toujours plus. Et sans éprouver de réelle satisfaction. Comment sait-on que l'autre vous aime ? Ne le sait-on pas avec son cœur, au-delà de preuves tangibles ?

Pourrait-on mettre des hommes et des femmes au même rang que des « objets » tenus de nous combler ? Et voir dans « son » mari ou « sa » femme un manque à avoir comme on l'aurait d'un article qui ne remplit pas toutes ses fonctions ? On peut objectiver l'autre dans l'exigence d'un dû qui n'a pas de limite et qui s'entretient de ce que l'autre ne donne pas. « Il, ou elle, ne veut pas dire ceci, agir ainsi, se comporter comme je le lui demande, *depuis si longtemps* ! » On s'acharne dans un manque qui ne fait que s'accroître avec le temps, et chacun souffre de ce que l'autre ne donne pas ou de ce que lui-même ne sait pas donner. Car celui ou celle qui tente d'objectiver son partenaire peut être également objet d'une perpétuelle insatisfaction pour l'autre et en souffrir. Dans cette attente qui reste vacante, l'amour s'éloigne et avec lui tout bonheur possible.

Jean-Yves Leloup dit : « Le bonheur commence quand on ne demande pas à l'autre de nous rendre heureux. » De même, « on ne peut attendre l'infini d'un être fini ». Cette paix que l'on espère tant trouver par l'autre, avec l'autre, une paix du cœur qui nous comble au-delà de toute rencontre, et qui, au lieu d'en être l'aboutissement, la précède, ne pouvons-nous la chercher en nous-mêmes ? Au lieu d'attendre d'un homme, d'une femme – d'un *pauvre* être humain avec toutes ses limites – de nous réconcilier à jamais avec nous-mêmes, avec la vie, avec l'absolu, et nous enfermer alors dans un manque tout aussi infini que l'est notre demande, ne pourrions-nous déjà accepter le relatif en nous pour l'accueillir en l'autre et mieux se connaître avant de co-naître ensemble ? *Déjà apprendre à aimer* ce que *l'autre devrait* nous apprendre à aimer. Être amour avant que d'être aimé.

Un autre peut venir à la rencontre de notre désir, comme la source vient nous retrouver au plus profond de notre soif, si déjà nous sommes revenus d'attentes illusoires et de demandes infructueuses ; si nous avons regardé à l'intérieur de notre puits pour y reconnaître notre plus profond désir, et que nous renvoyons comme un miroir à l'inconnu que nous aimons déjà ce qu'il nous est possible de vivre ensemble. Nous l'attendons, de toute notre âme et avec notre cœur, dans la confiance d'un amour juste qui viendra rejoindre celui que l'on pressent, amour que l'on se gardera d'enfermer dans une définition trop précise. Nous l'attendons sans inquiétude ni anxiété. Cette attente est empreinte de confiance et de sérénité.

Etty Hillesum écrit : « Si je devais vivre selon mes sources véritables, je devrais sans doute rester célibataire. Inutile en tout cas de me casser la tête là-dessus. Si j'écoute en toute sincérité ma voix intérieure, je saurai bien le moment venu si un homme m'est "envoyé par Dieu". Mais ce n'est pas un sujet à remâcher constamment. Ne pas non plus transiger, ni s'embarquer dans un mariage en vertu de toutes sortes de théories mensongères. Je dois avoir confiance, bien me dire que je suis un chemin particulier, et surtout ne pas avoir la hantise de finir dans la solitude si je ne prends pas un mari quand il en est encore temps. »

Si nous restons à la margelle du puits accueillant le premier venu qui dit pouvoir nous satisfaire et que notre attention se pose désormais sur ce qu'il doit nous apporter, nous fermons les portes à notre vrai désir. Nous sommes inquiets de ne pas rencontrer le grand amour et, une fois que nous pensons l'avoir rencontré, de ne pas le vivre. Orienté vers ce que l'autre peut ou ne peut pas offrir, on en oublie de s'interroger sur ce que l'on désire ; plus précisément, on sait ce que l'on désire de l'autre, mais *l'autre*, cet homme, cette femme, le désire-t-on vraiment ? « Quand je lui demandais ce qu'il me proposait de vivre, et que j'insistais pour qu'il me dise ce que j'attendais de lui, il ne me répondait pas. Maintenant qu'il me dit vouloir tout ce dont j'ai rêvé, je ne sais plus si c'est avec lui que j'ai envie de le vivre ; j'ai attendu trop longtemps. » L'attente fut-elle trop longue, ou le désir mal orienté, trop méconnu ?

Un désir méconnu est un désir perpétuellement insatisfait. Et il renvoie à l'insatisfaction de soi. « Je ne peux plus me voir, alors je ne peux plus le voir. Il fait trop partie de ma vie. » On rejette tout : ce qui fait partie de soi, donc de l'autre. De l'autre, donc de soi. On ne fait plus la différence entre la vie que l'on rejette et l'autre qui est si intimement lié à cette vie.

« Je déteste la couleur des rideaux, je déteste notre vie, je le déteste, je me déteste. » Quand on veut *tout changer dans sa vie*, qui veut-on changer ? « Il ne peut plus me faire rêver ; moi-même, je ne me fais plus rêver. » Si on ne peut plus se regarder en face, ce que nous renvoie l'autre de nous-mêmes, et de lui, ne pourra jamais nous combler. Et si on ne rêve plus, peut-on demander à l'autre de nous faire rêver ? Et qui plus est de réaliser nos rêves ?

« Je n'ai pas de mari », « je n'ai pas de femme » : je n'aime pas mon mari, ma femme, comme j'aimerais l'aimer ; il, ou elle, ne m'aime pas comme j'aimerais être aimé. Le manque est tel, parfois, je ne sais plus : est-ce l'autre, est-ce moi ? L'autre qui ne me correspond pas, ou moi qui ne m'aime pas et suis convaincu de ne pouvoir être aimé ? J'attends de mon mari, de ma femme qu'il, ou elle, me donne cet amour que je n'ai jamais reçu, un amour auquel je ne crois pas, ou je ne crois plus, un amour impossible. Un amour qui doit être celui de mes rêves, même si je ne rêve plus. Ma soif d'amour n'est-elle pas alors trop vive ? Une soif d'amour qu'aucun amour ne peut désaltérer.

Je me tourne alors vers ma soif : quelle est-elle, d'où vient-elle ? Et je retourne à la source de mon désir. De mon véritable désir.

La Samaritaine :
un être de désir

*« Quand Jésus apprit que les
pharisiens avaient entendu dire
qu'Il faisait plus de disciples
et en baptisait plus que Jean
(en réalité, ce n'était pas Jésus
qui baptisait mais ses disciples),
Il quitta la Judée
et retourna en Galilée.
Il lui fallait traverser la Samarie.
Il arrive dans une ville de Samarie
appelée Soukhar,
près de la terre jadis donnée
par Jacob à son fils Joseph.
Là se trouve le puits de Jacob.
Jésus fatigué par la route
s'assied au bord du puits,
c'est environ la sixième heure.
Une femme de Samarie vient
pour puiser de l'eau,
Jésus lui dit :
"Donne-moi à boire."
(Ses disciples sont allés à
la ville pour y acheter des provisions.)*

La Samaritaine lui dit :
"Comment ! toi qui es juif,
tu me demandes à boire, à moi
une Samaritaine ?"
(Les Juifs, en effet, n'ont pas de
relations avec les Samaritains.)
Jésus lui dit :
"Si tu savais le Don de Dieu
et qui est Celui qui te dit :
Donne-moi à boire,
c'est toi qui l'aurais prié
et il t'aurait donné de l'Eau Vive."
La femme lui répond :
"Seigneur, tu n'as rien pour puiser,
et le puits est profond,
d'où la tires-tu donc cette eau vive ?
Es-tu plus grand
que notre père Jacob,
qui nous a donné ce puits ?
Il s'y est abreuvé, lui, ses fils
et ses bêtes."
Jésus lui dit :
"Qui boit de cette eau
aura soif à nouveau.
Celui qui boira l'eau
que je lui donnerai
n'aura plus jamais soif,
l'eau que je lui donnerai
deviendra en lui une source,
jaillissement de vie éternelle."
La femme lui dit :
"Seigneur, donne-moi de cette eau,
que je n'aie plus jamais soif

et que je ne vienne plus ici
pour puiser."
Jésus lui dit :
"Va chercher ton mari
et reviens ici."

"Je n'ai pas de mari",
répondit la femme.
Jésus lui dit :
"Tu as raison de dire :
Je n'ai pas de mari.

Tu en as eu cinq
et celui qui est avec toi
n'est pas ton mari."

La femme lui dit :
"Seigneur, je sais que tu es un voyant.

Nos pères ont adoré sur cette montagne
et vous, vous dites :
C'est à Jérusalem que l'on doit adorer."

Jésus lui dit :
"Femme, crois-moi,
l'heure vient où ce n'est ni sur cette montagne
ni à Jérusalem que vous adorerez le Père.

Vous, vous adorez
ce que vous ne connaissez pas ;
nous, nous adorons ce que nous connaissons
car le salut vient par les juifs.

L'heure vient,
nous y sommes
où les vrais adorateurs
adoreront le Père
dans l'Esprit et la Vérité.
Ce sont là

les adorateurs tels que les veut
le Père.

Dieu est esprit,
et dans l'Esprit et la Vérité,
on doit adorer."

La femme lui dit :
"Je sais que le Messie
quand il viendra,
nous expliquera tout."

Jésus lui dit :
"Moi qui te parle – Je Suis."

Ses disciples arrivèrent,
ils sont surpris de le voir parler
à une femme,
cependant pas un ne dit :
"Que lui veux-tu ?"
ou : "Pourquoi lui parles-tu ?"

La femme laisse là sa cruche,
court à la ville
et dit aux gens :

"Venez voir un homme qui m'a dit
tout ce que j'ai fait,
n'est-ce pas le Messie ?" »

Jean 4,1-29
(traduction de J.-Y. Leloup)

Qu'est-ce qui peut combler notre manque ?

Le manque, l'être humain cherche à le combler de différentes façons, toujours insatisfaisantes et qui le laissent à chaque fois un peu plus vide, « altéré », un peu plus souffrant de ce manque et de la vacuité qui semble le déterminer et le constituer.

86

« Je ne connais que deux choses, disait le Bouddha : la souffrance et la cessation de la souffrance. » La vie mal-heureuse et la vie bien-heureuse. Le bonheur est toujours là, c'est notre vraie nature, alors pourquoi certains accueillent-ils « bien » cette réalité fondamentale, et d'autres ne l'accueillent-ils « pas » ou l'accueillent-ils « mal » ?

Pourquoi certains souffrent-ils du manque et d'autres semblent-ils davantage en jouir ? « Jouir du manque », jouir de notre vacuité et de notre vacuité essentielle, est-ce possible ?

La rencontre de Jésus et de la Samaritaine nous place au cœur de cette interrogation. Cette femme est une femme de désir, et elle a soif d'une eau qui pourrait la désaltérer, non seulement pour un instant mais pour toujours. Jésus est celui qui enseigne et il vient la rejoindre là où elle est, dans sa soif ; pas à pas il la conduit vers sa source. Des objets avec lesquels elle pense combler son désir, il la ramène au sujet même du désir, au sujet désirant qui ne se laisse combler par aucun des « objets » du désir (qu'il s'agisse de réalités sensibles, affectives ou religieuses), mais qui garde le sujet à vif dans son désir ; le vif du désir étant le vif du sujet, le vivant lui-même.

L'histoire de la Samaritaine, c'est l'histoire d'un désir qui ne se laisse pas combler par des objets, d'un vide qui ne se laisse pas remplir par des riens, d'un manque qui ne se laisse pas séduire par la multitude des leurres qui lui sont proposés (par différents matérialismes, psychologismes ou spiritualismes).

Suivre cet itinéraire n'est peut-être pas sans vertige, en tout cas il est sans illusions, il est la réponse à une soif qui ne saurait se satisfaire d'aucune eau, non seulement frelatée ou « embouteillée », mais qui ne serait pas de l'« eau vive », l'eau même de la Source qui appelle une telle soif, c'est-à-dire la Réalité même qui éveille dans l'homme un tel désir, creuse un tel manque, une ouverture ou une capacité infinie que l'Infini seul peut combler.

Pour aller vers cette Source, Jésus l'Enseigneur invite la Samaritaine à creuser son propre puits, c'est-à-dire son propre désir ou son propre manque, et lui fait sentir, plus que comprendre, que sa quête peut s'arrêter là où pour un instant elle s'estime comblée, « une idole plutôt que rien », plutôt que le Dieu qui n'est « rien du Tout dont il est la cause », il l'invite à ne pas s'en satisfaire et à creuser toujours plus profond. Ainsi se dessine pour nous comme pour elle un itinéraire vertical qui correspond à certaines étapes ou à certains seuils qu'elle doit franchir à l'écoute de ce qui demeure « inassouvi » au plus intime de son désir :
– Le puits de nos ancêtres, ou combler le manque avec ce qu'on a toujours connu.
– Le puits de nos amours, ou combler le manque avec de nombreuses et intenses relations affectives.
– Le puits de nos croyances, ou combler le manque avec des idées ou des représentations de Dieu proposées par diverses religions.
– Le puits de l'Éveil, ou accompagner le manque avec le souffle (*Pneuma*) et la vigilance (*aletheia*).

Le puits de nos ancêtres

Le puits de ses ancêtres, pour la Samaritaine, c'est le puits de Jacob, là où elle vient puiser depuis son enfance, l'eau pour ses proches et les habitants de son village. Dur labeur pour une jeune fille, labeur sans fin, car sa soif comme celle de ses frères, sœurs et cousins n'est jamais étanchée par l'eau qu'elle peut tirer de son puits, ses efforts ne sont pas vains – on accueille toujours sa cruche avec reconnaissance – mais inefficaces pour calmer une soif qui semble se renouveler à l'eau même dont on l'abreuve.

« Qui boit de cette eau aura encore soif », lui dit Jésus, et c'est ainsi de génération en génération ; l'Enseigneur ne fait que résumer la sagesse des nations. Un moment on pense combler son désir avec telle ou telle réalité matérielle. L'eau de ce premier puits symbolise toutes les richesses, les possessions, les avoirs avec lesquels on pense calmer notre psychisme toujours inquiet, ce qui à défaut de bonheur ou de paix profonde pourrait lui donner la sécurité ou la satisfaction. Mais chacun le sait, on n'« a » jamais assez, plus on en a, plus on en veut, il y a une soif (un ego) qui, en nous, ne dit jamais « assez » mais « encore, encore »...

Je pensais trouver dans l'achat de tel ou tel bien la réalisation de mes rêves, mais ce n'est pas encore ça, le désir est toujours vif, parfois même exacerbé par l'accumulation des biens avec lesquels je pense combler mon manque.

« Qui boit de cette eau aura encore soif. » C'est vrai de toutes les réalités matérielles, avec lesquelles on pense trouver l'apaisement de son désir : ce n'est pas une condamnation de ces réalités, c'est une simple observation.

Ce ne sont pas les réalités relatives qui peuvent combler un manque ou un désir, qui déjà pointe son aiguillon vers une réalité plus vaste qu'on se gardera bien d'appeler l'Absolu, pourtant déjà Jésus nous le laisse pressentir.

« Celui qui boira de l'eau
que je lui donnerai
n'aura plus jamais soif,
l'eau que je lui donnerai
deviendra en lui une source,
jaillissement de vie éternelle. »

Ce que Jésus promet à la Samaritaine et donc à la psyché, c'est un apaisement non dépendant des réalités matérielles, un bonheur, une joie qui ne trouvent pas leur raison d'être ou leur « cause » dans les circonstances extérieures, dans le connu, mais un apaisement, une joie, un bonheur, dont la source est en soi-même, et ne se tarit pas avec le temps puisqu'elle demeure tel un « jaillissement de vie éternelle ».

Qui nous donnera de cette eau-là, que nous n'ayons plus à puiser dans le connu, dans la mémoire ancestrale inscrite dans nos gènes, nos plaisirs et nos peurs, que nous n'ayons plus à « faire l'effort » d'être en paix, mais l'être enfin et que « coule de source » l'apaisement que nous pourrions donner à autrui ?

« Si tu savais le Don de Dieu. » La parole est énigmatique. Justement nous ne savons pas. L'ignorance est peut-être la clef de notre souffrance et de notre malheur.

Il s'agit de creuser davantage.

Le puits de nos amours

Si notre désir ne peut être apaisé par aucune réalité matérielle, si on ne comble pas le vide avec des riens, peut-être trouverons-nous quelque répit dans nos relations amoureuses.

Même si cela peut aider, « l'argent ne fait pas le bonheur », cela tout le monde le sait, mais qui oserait dire que « l'amour ne fait pas le bonheur », qui oserait dire qu'il n'y a jamais cru, au moins une fois ?

« Va chercher ton mari », dit Jésus à la Samaritaine, ou plus littéralement : va chercher celui avec qui en ce moment tu cherches l'unité, l'amour, la paix...

« Je n'ai pas de mari », répond la femme, littéralement : celui avec qui je suis en ce moment ne me donne pas l'unité, l'amour, la paix que mon cœur désire.

« Tu as raison [...], lui répond Jésus, tu en as eu cinq et celui qui est avec toi n'est pas ton mari. »

Saluons au passage la force du désir de cette femme, sa foi dans l'amour, sa certitude de trouver au cœur du mariage ou d'une relation humaine ce qu'invinciblement elle cherche.

Saluons son courage, son orthodoxie : « l'échec d'un amour n'est pas l'échec de l'amour ». Ce n'est pas parce que je suis divorcée ou que j'ai connu l'échec dans une relation, que je ne suis plus capable d'aimer, une fois, deux fois, trois fois... Le cœur se remet à l'ouvrage et c'est sans doute la même déception, la même souffrance, quatre fois, cinq fois, et jusqu'à ce sixième essai qu'elle pense être le dernier, le définitif, comme cela le fut pour les autres, et de nouveau le même constat : « Je ne suis pas mariée, je ne sais pas ce que c'est que l'union ou la véritable alliance et pourtant même émoussé, blessé surtout, mon désir est encore vif. »

Jésus ne lui dit pas une seconde fois : « Qui boit de cette eau aura encore soif », il ne la condamne pas non plus, il porte son attention sur ce qu'elle sait déjà :

aucun amour humain n'a comblé en elle son désir d'amour.

Mais alors, où est-il cet amour qui me donnera la paix, qui rendra au moins supportable mon manque que je commence à pressentir comme infini ? Faut-il chercher l'apaisement du côté de la religion ?

Le puits de nos croyances

C'est un itinéraire que beaucoup ont connu. Déçus par les biens matériels qui « ne font pas le bonheur » et par les relations affectives qui « ne répondent pas à notre désir », nous nous tournons vers les réalités spirituelles que nous présentent un certain nombre de religions comme étant capables d'apaiser les grandes soifs de l'homme avec l'affirmation que chaque montagne sacrée, chaque temple, chaque église, chaque minaret, chaque pagode cache une source, quand ce n'est « la » Source... Donc : « Venez chez nous, vous n'aurez plus de problèmes ! »

La Samaritaine est « mûre » pour entrer en religion, mais dans son bon sens qui ne l'a pas quitté depuis le début de cette aventure, elle demande : laquelle ?

Nous, les Samaritains, c'est ici, sur cette montagne, que nous adorons, vous, les juifs, vous dites que c'est à Jérusalem qu'il faut adorer ! La Samaritaine, aujourd'hui, aurait encore d'autres propositions : le mont Fuji, le mont Kailash, La Mecque, Varanasi (Bénarès), Bodh Gaya, les grottes de Kiev, Rome, etc.

La réponse de Jésus serait toujours la même : « Ni sur cette montagne, ni à Jérusalem, ni dans ce temple, ni dans cette mosquée, ni dans ce dojo, ni dans cette église », et sa réponse ne cesse de nous surprendre. L'apaisement de notre désir, nous ne pouvons le demander à aucune religion, à aucune institution, à aucune pratique... quelques consolations sans doute, mais guère plus que celles que peuvent nous donner la richesse et la reconnaissance sociale, ou un amour, « mon doux, mon merveilleux amour » ! C'est dire qu'aucune représentation de l'Absolu n'est l'Absolu, que les idées que nous avons sur Dieu sont peut-être les pires idoles (idée, idéologie, idole : c'est bien la même racine) et que c'est au nom de ces idoles, de ces représentations relatives de l'Absolu, que nous continuons à nous faire la grimace, si ce n'est à nous faire la guerre, à entretenir l'hypocrisie et la volonté de puissance.

Après plus de vingt siècles, cette parole n'est toujours pas entendue parce que toujours pas écoutée, si grand est notre besoin de combler nos manques avec des « objets » qui pourraient le satisfaire ; l'objet total et magnifique peut prendre le nom de Dieu, mais cet « Objet sublime et suprême » que je cherche à avoir et que j'adore ne peut, lui aussi, que me décevoir ; et parce que j'ai investi, sur lui et ses serviteurs, un désir absolu, je serai déçu absolument, comme le dit bien Yvan Amar : « On ne connaît du désir que l'objet du désir. La vraie nature du désir est toujours oblitérée par l'objet même du désir ; on épuise l'objet du désir, le désir revient, et parce que l'objet du désir n'a pas tenu sa promesse, on condamne en bloc et le désir et son objet, alors qu'on n'a jamais éprouvé véritablement la nature du désir.

Que se passe-t-il la plupart du temps, pour quelqu'un qui a eu l'expérience d'un quotidien frustré par les objets du désir n'ayant pas tenu leur promesse ? Il se tourne soit vers un objet suprême qui polarise à nouveau le désir et l'empêche de l'éprouver ; dans le second cas, comme il a condamné le désir en bloc, il s'empêche de l'éprouver. [...]

Il s'agit davantage de reconnaître le désir comme le moteur même de la vie, et plutôt que d'amener un objet suprême pour alimenter ce désir – qui, telle la faim, resurgit une fois l'objet digéré... –, puis d'essayer de l'apaiser avec un autre objet, aussi spirituel soit-il, prendre conscience de la nature même du désir, mais sans esprit de condamnation. »

On est déçu à la mesure de ses attentes.

Ce n'est pas la « faute » à Dieu ou aux religions, il ne fallait pas ainsi investir mon désir dans la représentation d'une Réalité, qu'il ne s'agit pas d'avoir. Dieu, on ne l'aura jamais, la vérité, on ne l'aura jamais, et ceux qui prétendent l'avoir sont dangereux, car au nom de ce qu'ils « ont » (le seul vrai Dieu – la vérité), ils détruiraient ou mépriseraient ceux qui ne l'ont pas. Dieu n'est pas objet de désir, et l'avoir pour objet du désir, ce n'est pas être croyant, c'est être idolâtre. Aimer Dieu, comme aimer quelqu'un d'ailleurs, c'est renoncer à l'avoir, c'est renoncer à en faire un avoir et s'ouvrir à la possibilité d'« être avec », de respirer avec lui.

Prier, ce n'est pas penser à Dieu (quand tu es en présence de quelqu'un, tu ne penses pas à lui), c'est respirer avec lui. « Prier, c'est respirer », me disait le père Séraphin du mont Athos, et avec toute la tradition hésychaste, il ne faisait que rappeler les paroles de l'Enseigneur à la Samaritaine...

S'il ne sert à rien, pour calmer mon désir, d'aller dans les lieux sacrés, d'entrer dans la pratique particulière d'une religion, que faire pour répondre à cet irrésistible désir qui me traverse et qu'aucun objet, aussi spirituel soit-il, ne peut satisfaire ?

Les vrais adorateurs
c'est dans le *Pneuma* et l'*aletheia*
qu'ils doivent adorer.
Dieu est *Pneuma*
et c'est dans le *Pneuma* et l'*aletheia*
qu'on doit adorer.

Il ne faut peut-être pas se presser de traduire et garder aux paroles de l'Enseigneur leur charge de silence puisque ce n'est que dans le silence qu'elles peuvent se dévoiler à nous.

On traduit généralement *Pneuma* par « Esprit » et *aletheia* par « vérité » ; même avec des majuscules, cela peut prêter à confusion. « Esprit » nous fait penser à l'esprit, l'intellect, nous sommes loin du *Pneuma*, traduction de l'hébreu *Rouah*, le Souffle, l'haleine de vie. Pareillement avec *aletheia* : la « vérité », ce n'est pas la « vérité qu'on a ». Le mot *a-letheia* indique davantage un état d'éveil, une sortie de la torpeur, de la *léthé*, le sommeil, la léthargie.

Jésus n'a jamais dit : « J'ai la vérité » mais : *Ego eimi aletheia*, « Je suis éveillé ».

Il s'agirait donc d'adorer, c'est-à-dire d'entrer en relation avec la source même de notre être que Jésus appelle « notre Père », « dans le Souffle et la Vigilance ».

L'Enseigneur, étape après étape, de seuil en seuil, creuse ainsi le désir de la Samaritaine et la rapproche des sources de son propre puits. Ce n'est plus un bien, un amour, une religion, extérieurs ; l'eau qui étancherait sa soif viendrait alors d'un puits qui n'est pas le sien, il l'invite à plonger dans le souffle qui la relie aux sources vives de la Vie, car notre vie ne tient qu'à un souffle. Écouter et suivre le souffle jusqu'à la racine, vers ce lieu d'où vient l'inspir et où retourne l'expir, c'est là que la vie t'est donnée, c'est là que tu es engendré, c'est là que tu trouveras « le Père créateur de tout ce qui vit et respire ».

Écoute ton Souffle, ton Saint Esprit, l'Esprit qui te donne la vie, ce Souffle est aussi conscience, vigilance. Veille jusqu'à ce que ton désir demeure vif, ne le laisse pas s'encombrer, se satisfaire par un objet, matériel ou mental, aussi merveilleux et brillant soit-il : « Dieu n'est pas l'objet suprême du désir, ou la conscience résultant d'un non-désir. Dieu est cela même qui est caché dans le désir, c'est le désir lui-même, et lorsque le désir ne peut plus se satisfaire d'aucun ersatz, ni d'aucune contrefaçon, le désir s'éveille à sa véritable nature d'être Dieu. » Je dirais plus précisément d'être « l'Être qui Est ce qu'Il Est » (YHWH), d'être *ego eimi*, « Je suis », non pas objet du désir, mais sujet du désir.

Jésus conduit ainsi la Samaritaine vers la Source non seulement des eaux vives dont elle a soif, mais à la Source même de sa soif.

Cette source, il ne s'agit ni d'y puiser ni de l'épuiser, mais de la laisser être, et c'est là une expérience trop forte pour la psyché qui vit dans l'espace et le temps.

La Samaritaine a bien ce pressentiment qu'« un jour

peut-être », « quand le Messie viendra »... et de nouveau la parole de l'Enseigneur nous interpelle, nous choque sans doute : le Messie est là, « Je suis » est là au fond de ton propre puits, le « Je suis » qui est à la fois un Autre que tu cherches et plus Toi que toi-même.

Cela n'est pas à découvrir dans une vie future ; celui qui n'a pas connu la vie éternelle dès cette vie ne la connaîtra pas non plus dans l'autre ; si c'est éternel, c'est hier, aujourd'hui, demain. Le fleuve est dans le temps, ton souffle et ta conscience sont dans le temps, la Source de ton souffle, de ton désir et de ta conscience n'est pas dans le temps mais dans l'éternité (littéralement : le « non-temps »).

Mais comment connaître ce qui ne peut pas être connu puisque tout ce que nous pouvons connaître est connu dans cet espace-temps ?

Demeure dans le souffle et la vigilance, tu verras par toi-même qui tu es véritablement, qui est « Je suis ».

La femme, comme n'importe quelle psyché, peut être troublée par ce genre de non-réponse, qui est invitation à voir par soi-même, à boire jusqu'à « plus soif », à vérifier si effectivement, en nous, la Source et la soif ne font plus qu'un.

Toujours est-il que la Samaritaine laisse là « sa cruche » qui symbolise la connaissance acquise, la vérité que l'on peut avoir, les objets qui répondent un moment au désir, et qu'elle parle désormais, non à partir de ce qu'elle a appris, de ce qu'elle a acquis, mais comme Celui qui l'a enseignée : à partir du cœur. Une source en elle s'est mise à couler, qui ne prétend pas abreuver ceux qu'elle rencontre, mais qui leur donne soif plutôt, et le désir de creuser dans le souffle et la vigilance, à la rencontre du « Je suis » qui les fonde et les rend capables, comme Lui, de se donner.

« Si tu savais le Don de Dieu », elle sait maintenant.

Au fond de son être, il n'y a pas seulement l'être, mais la donation de l'Être, la Source qui aimante tous désirs, qui nous comble en nous creusant davantage et qui fait de notre soif non la torture qui nous travaille, mais le témoignage des eaux qui nous fécondent.

Le texte ne le dit pas, mais nous pourrions prolonger l'histoire de la Samaritaine après sa rencontre avec Jésus, qui n'a pas répondu à son désir et à sa soif, par les objets trop connus ou trop faciles par lesquels les hommes pensent le combler. Il a accompagné son manque, il l'a élargi, jusqu'à ce qu'il perde toutes limites capables d'être remplies par un objet : désormais elle est libre.

Elle peut retourner sur sa montagne ou dans son temple, elle ne demandera plus à un dieu, à une représentation aussi subtile soit-elle, à un état de conscience particulier, d'être « l'Être qui Est » (YHWH, « Je suis »), elle ne demandera plus l'Absolu à une réalité relative, elle ne sera plus jamais déçue, elle peut retourner vers son mari – son dernier doux et merveilleux amour –, elle l'aimera enfin pour ce qu'il est, elle ne lui demandera plus de combler le manque creusé par un père absent ou une mère oppressive.

Elle ne demandera plus à un être fini un Amour infini et inconditionnel, elle aimera (mais toujours sans complaisance) ses limites, voire ses défauts, comme une mère attentive au plus fragile de ses enfants. Elle pourra retourner vers ses richesses matérielles, son puits ou sa maison de famille, mais elle ne demandera plus à tous ses biens périssables et transitoires cette inviolable tranquillité du cœur à laquelle elle aspire...

Jésus nous délivre, non des réalités temporelles, mais de leur idolâtrie, il délivre le cœur de ses attachements aux objets du désir, afin que nous demeurions libres d'aimer les choses pour ce qu'elles sont et ne demander l'infini qu'à l'infini.

« Si tu savais le Don de Dieu », cela veut dire aussi : si tu savais que la Source est en toi, la Source du Don.

La seule chose que la mort ne peut pas nous enlever, c'est ce que nous aurons donné. Ne peut mourir que ce qui est mortel.

Vous n'avez pas la vie,
vous êtes la vie.
Rien ni personne ne peut vous l'enlever...
On peut vous enlever ce que vous avez :
vos idées sur la vie,
vos représentations de la vie, vos idoles,
les émotions, les sentiments, les pensées,
les formes que vous prenez pour la vie,
le moi auquel vous vous identifiez :
tout cela vous sera enlevé
mais jamais la vie...

Vous n'avez pas la vie,
vous êtes la vie.
La vie qui court,
la vie qui passe,
offrez-lui un siège,
une assise, un souffle, une conscience
où elle puisse se poser,
se reposer...

puis de nouveau
se donner...
comme la Source qui a soif d'être bue.

L'homme est un être
à qui l'être manque,
dit le métaphysicien.
L'homme est une soif (un désir)
à qui la source (le bon objet) manque,
rappelle le psychanalyste.
L'homme est un être
à qui l'Être est donné,
l'homme est une soif
à qui la Source est offerte :
   s'il la pressent
   s'il la veut, la respire
   s'il y acquiesce.
« Si tu croyais au Don de Dieu »,
plus encore : « Si tu savais le Don de Dieu ».

Mais ce sont là « paroles d'Évangile » qui ne s'adressent ni au cœur ni à la raison ordinairement fermée, mais au cœur et à la raison qui demeurent dans « l'ouvert »... dans une autre béance, une blessure peut-être, qui accueille l'Impossible Présence...

Quand la source rejoint la soif

*« Qui boit de cette eau
aura soif à nouveau.
Celui qui boira l'eau
que je lui donnerai
n'aura plus jamais soif,
l'eau que je lui donnerai
deviendra en lui une source,
jaillissement de vie éternelle. »*

Jean 4,13-14

« Si une femme me donnait ce que je désire, j'aurais peur de m'ennuyer. » Si j'avais *tout* ce à quoi j'aspire, que ferais-je de mon désir ? Tant qu'il reste inassouvi, la soif est vive, et je me sens vivant. Si le désir venait à disparaître, que se passerait-il ? Si je n'avais plus soif d'amour : d'un amour autre, d'un autre amour ? Si j'étais comblé, à jamais ? Le manque entretient le désir et le désir maintient en vie, dans la vie. Aussi, je peux me réjouir à l'idée d'un amour parfait, me plaire à imaginer ce qu'il pourrait être – ce qu'il devrait être –, mais suis-je prêt à le vivre ? À aimer *pleinement*, sans attendre du manque qu'il me donne la sensation de vivre ?

« M'installer dans une relation, même heureuse, pour moi, c'est la mort. Je vois ce que je n'ai pas et n'aurai plus ; qu'aurais-je alors à attendre ? » Même ce qui nous est le plus désirable peut devenir, une fois acquis, « chose morte » et laisser à sa place la pénible sensation d'un désir vacant. Dès lors que je possède l'objet de mon désir, ou obtiens d'un homme ou d'une femme ce que j'en attends, qu'ai-je encore à désirer ? Le désir me manque.

Cruel paradoxe, je cherche à combler mon manque, mais si le manque vient à manquer, je n'ai plus de désir. Je ne sais alors ce qui est pire : le manque de ce que je désire ou le manque de désir. Dans ces conditions, que faire ? Persister ma vie durant dans une demande toujours insatisfaite : s'adresser à celui ou celle qui ne donne pas ce que mon cœur désire, ou avoir un désir si ambivalent – donne-moi ce que je désire et en même temps ne me le donne pas – qu'il est impossible à quiconque de pouvoir me satisfaire ? Ou encore refuser les bontés qu'un homme, une femme, offre avec cœur et attention ? Dire non aux attentions du cœur, à ce qui pourrait me combler et que j'attends depuis si longtemps, pour la raison même qu'une fois acquis, je n'aurais plus rien à désirer. Parvenu à mon but, quelle distance resterait à parcourir, quel obstacle à franchir ? Si tu es là, je ne te vois pas. Je ne te vois plus.

Si tu es là, c'est ailleurs que je vais te chercher. « Je vis une belle histoire avec une femme et je crois l'aimer sincèrement ; pourtant, je ne peux m'empêcher de regarder ailleurs. Je ne ressens pas cette flamme qui m'emporterait et m'apporterait la conviction que c'est elle avec qui j'ai envie de faire ma vie. » Combien d'hommes et de femmes aspirent à se poser, à déposer les armes d'une guerre qu'ils mènent avec eux-mêmes, avec leur propre ambivalence : je désire que tu m'aimes, mais si tu m'aimes, que vais-je devenir ? L'objectif n'est plus alors de te convaincre, mais de vaincre la peur qui est en moi : la peur d'être enfermé, de me tromper, de passer à côté d'une autre femme, d'une autre vie, peut-être de la vraie vie. La victoire n'est plus sur toi mais sur moi. Il me faut me dépasser. Alors je remets à plus tard de t'aimer.

« Maintenant, je serais prêt à m'engager avec une seule femme. Je n'aurais pas, comme avant, des regrets pour toutes celles que je peux croiser dans la rue et qui me font rêver. » *Je serais* prêt, le conditionnel est encore présent ; mais quelles sont les conditions pour que le rêve devienne réalité : qui devrait-il être, quelle devrait-elle être pour pouvoir prendre la décision de choisir cette femme plutôt qu'une autre, plutôt que toutes les autres ? Comment être certain que c'est toi ? Toi et pas une autre. Je veux t'aimer d'un désir sans faille.

« Je n'arrive pas à me décider. J'ai plusieurs femmes autour de moi ; je sais qu'elles attendent quelque chose de moi que je ne peux leur donner. Car chez chacune d'elles quelque chose me plaît, mais aucune ne réunit toutes les qualités de celle que j'aimerais rencontrer. » Dans l'attente de *la* femme qui réunirait toutes les attentes, il est impossible d'engager une relation avec *une* femme. D'autant plus si l'on attend tout d'elle, car on redoute en même temps ce « tout » qui signerait la fin d'une liberté. « Si elle a tout, si elle est tout, je ne suis plus rien. » Si elle a tout, c'est la mère toute-puissante : elle contrôle ma vie et face à elle je redeviens tout petit. Elle ne me laisse plus respirer. Je n'ai plus la liberté de vivre.

La peur de la mort ne serait-elle pas celle du retour à la mère qui est, pour un homme, du même sexe que la femme aimée ? Le retour à la relation primaire : à l'empreinte du désir de la mère. La mère qui met au monde, mais dont la présence, la qualité de présence, a une telle influence sur le désir d'être au monde. Ceci, qu'elle ait été absente ou étouffante, parfois l'un et l'autre : étouffante dans sa demande d'amour mais absente dans le don d'amour. Au moins est-ce ainsi qu'il a pu la percevoir. Et qu'il appréhende toute femme qui l'approche : déjà *trop* exigeante, envahissante ou *pas assez* aimante ni aimable. Ne sois pas comme ma mère.

La soif d'une femme parfaite conduit au rejet de toutes celles qui ne le sont jamais assez, pour bien souvent retrouver sa mère. Répéter justement ce que l'on ne veut pas vivre, ni revivre de sa première relation d'amour ; ce d'autant plus que la relation est difficile. Si j'accepte ma mère telle qu'elle est, je peux davantage accepter un homme, une femme, tel, telle qu'il ou elle est. Si j'accepte ma mère telle qu'elle est, c'est certainement parce qu'elle-même m'a accepté tel que j'étais. L'amour vrai accepte la faille. Alors je n'ai plus besoin pour t'aimer de te vouloir parfait.

Mais si ma mère m'a mal aimé, je continue à attendre qu'elle puisse m'aimer comme je le désirais. Et si je ne l'attends plus d'elle, je l'attends des femmes et des hommes que je vais rencontrer, de ceux que j'aime. Je revis ainsi – à mon insu – la relation que j'ai si mal vécue. Une mère autoritaire, et un homme subit sans se révolter les injonctions d'une femme autoritaire. Une mère possessive, et un homme se soumet à celle qui le tient prisonnier de ses exigences et de ses reproches. Une mère froide et distante, et un homme choisit celle qui le maintient à distance, réclamant sans cesse des attentions et un amour qu'il n'a pas... Serait-il assez fou pour se jeter dans la gueule du loup ? Est-ce de l'inconscience, de la complaisance à souffrir, de la faiblesse à pouvoir réagir, un manque d'imagination avec une propension morbide à la répétition ? Le fait est que la femme choisie n'est pas toujours celle qui répond au désir le plus profond. Elle est celle qui doit guérir des blessures du passé. Fais-moi souffrir et je guérirai.

La femme choisie renvoie à la mère, mais elle est aussi regard du père, sur la femme et sur lui-même. « Mon père a une très grande personnalité. Il séduit tous ceux qui l'approchent ; face à lui, je ne me sens jamais à la hauteur. Quand j'aime une femme, je ne peux pas penser qu'elle puisse m'aimer. Je m'en vais, ou je pars vaincu et je fais tout pour qu'elle me quitte. » Mon père, ce héros ! Si j'avais pu lui ressembler, si j'avais pu lui plaire. Alors toi que j'aime, certainement, tu m'aurais aimé.

« Mon père, j'aurais tant aimé que tu sois un héros. Mon père, pourquoi tu n'as pas été là ? Pourquoi t'es-tu si peu occupé de moi ? » La fille pleure l'absence de son père. Dans sa soif d'amour, il y a la soif douloureuse d'un père. « Mon père ne m'a jamais réellement vue ; il ne sait pas qui je suis ; au fond, c'est comme si je n'avais pas de père. Alors je cherche un homme qui pourrait être mon père et s'occuper de moi. Mais quand je le rencontre, je n'ai pas de désir pour lui. Je n'aime que ceux qui, comme mon père, ne font pas cas de moi. » Je ne veux plus avoir mal, mais j'aime ceux qui me font mal.

« Mon père n'a pas aimé ma mère. J'ai mal pour elle, mais je lui en veux d'avoir choisi un si mauvais mari. Elle aurait pu vivre une belle histoire d'amour et il me serait beaucoup plus facile d'en vivre une moi aussi », « Ma mère n'aimait pas mon père, elle le traitait avec mépris et exaspération. Elle n'a cessé de dévaloriser à mes yeux l'image de l'homme ». Ma mère n'était pas heureuse, je ne peux l'être avec toi. Ma mère est passée à côté de l'amour. Je ne sais pas ce que c'est qu'aimer. Je ne sais pas si je t'aime.

« Pourquoi m'a-t-il fallu aussi longtemps pour décider de ne plus être maltraitée ? » Avant de rencontrer son prince, la petite fille a besoin de grandir et de devenir princesse. Elle revit pour les dépasser des douleurs de son enfance et « choisit » pour mieux les vivre qui aura l'art de la faire souffrir. « Quand je l'ai épousé, je le croyais si gentil, si doux. Je n'avais pas perçu sa violence qui est la même que celle de ma mère : sournoise, imprévisible, terrifiante. Il m'a fallu la revivre plusieurs fois, avec d'autres encore, pour ne pas la prendre comme étant dirigée contre moi et m'autoriser à rencontrer un homme avec lequel je puisse avoir une relation tendre et équilibrée. » Plusieurs « leçons » sont parfois nécessaires avant de choisir le bon partenaire. Des leçons qui sont autant de défis.

« Ma mère n'a jamais été tendre, elle m'a appris à être dure, comme elle ; mais je n'ai jamais douté qu'elle m'aimait. Les hommes que j'aime me disent m'aimer, mais eux non plus, je ne les trouve pas aimants. Cependant je reste, dans l'espoir qu'ils m'accordent enfin cette tendresse que j'attends. » J'aime le défi. J'aime l'idée que cela peut être différent de ce que j'ai vécu. « Alors que j'avais compris qu'il ne me donnerait plus rien, je suis restée avec lui. Je me disais qu'un jour, il finirait bien par changer d'avis. » J'attends que tu me donnes l'amour que je n'ai pas eu.

Bien souvent, on préfère le défi à l'acquis. Dans le défi, on souffre de ce que *l'on n'a pas*, mais on ne souffre pas d'*avoir* ce qui pourrait nous priver d'une précieuse – même douloureuse – sensation de soif. Et si l'on continue à s'en plaindre, chercher à l'assouvir fait avancer. Le désir de vivre, l'élan vital est dans ce mouvement, du non-avoir à l'avoir, de l'enfant blessé à l'adulte « réparé », de l'absence à la présence, du « pas assez » au « toujours plus ». Le plaisir escompté est dans la résolution d'une souffrance passée.

Le défi met en situation d'attente, mais aussi d'espoir : celui d'être enfin comblé par ce que l'on ne connaît pas. Être satisfait par ce que l'on a pourrait signifier ne plus être en quête d'autre chose. Que faire alors de son insatisfaction ? Dans le défi, on continue à se battre contre les injustices du passé, on perpétue la lutte contre ceux qui n'ont pas su, pas pu donner ce que l'on aurait espéré d'eux. Arrêter de combattre, ce serait pardonner ce qu'ils ont fait, ou pas fait. Être en paix, faire le cadeau d'une paix que l'on ne veut pas offrir à qui nous a fait souffrir. Il, elle, m'a fait trop mal, comment oublier ? L'autre, les autres qui m'ont blessé, cela peut devenir le monde entier. « J'en veux à la terre entière du mal que ma mère a pu me faire. » Je t'en veux du mal que d'autres m'ont fait.

« Une pensée a hanté toute mon enfance : demander à ma mère "pourquoi tu ne m'aimes pas ?". Le pire, je m'en aperçois maintenant, est que ma plus grande histoire d'amour, c'est elle. Aussitôt qu'elle le demandait, j'accourais : elle avait besoin de moi, alors j'existais. Et je laissais ceux qui m'avaient toujours montré de l'amour ; je les laissais quand eux avaient besoin de moi. Celle qui ne m'aimait pas, j'y pensais sans cesse ;

ceux qui m'aimaient, je ne les voyais pas. Et qui plus est, je les martyrisais : j'exigeais d'eux toujours davantage, cherchant à leur prouver qu'ils ne m'aimaient pas. Finalement, je n'aime que ceux qui me résistent, et même me dominent. » Je t'aime, toi avec qui je pourrai réparer mes douleurs passées. Je t'aime pour avoir ce que je n'ai jamais eu ; mais je t'aime, toi qui ne peux pas me le donner.

Je t'aime, toi qui ne pourras jamais étancher ma soif. « Personne ne peut me rendre heureux. J'attends d'une femme qu'elle remplace la mère que je n'ai pas eue. Une mère pas maternelle. Et si une femme me materne, je suis heureux, mais il arrive vite le temps où je n'ai plus de désir pour elle », « Depuis la mort de ma mère, il m'a fallu accepter l'inacceptable : ce qu'elle ne m'a pas donné, elle ne me le donnera plus jamais. Toi que j'aime, comment pourrais-tu me le donner ? » Si la soif d'amour ouvre à l'amour, à la rencontre de l'autre et d'un bonheur possible, une soif *trop* vive et douloureuse empêche d'accéder à l'autre, à l'amour, à la vie. Ma douleur est trop forte. Qui que tu sois, le manque est là, qui toujours reviendra.

> « Rien n'est jamais acquis à l'homme, ni sa force,
> Ni sa faiblesse, ni son cœur et lorsqu'il croit
> Ouvrir ses bras, son ombre est celle d'une croix
> Et quand il veut serrer son bonheur il le broie.
> Sa vie est un étrange et douloureux divorce.
> Il n'y a pas d'amour heureux. »

Ainsi parlait Aragon dans son si beau poème. Rien n'est jamais acquis, car ce que l'on cherche à atteindre est ailleurs : ailleurs dans l'espace, ailleurs dans le temps, hors de notre portée. On est trop petit, on est resté trop petit. On est encore l'enfant qui veut ce qu'il y a sur l'étagère du haut, qui voudrait vivre ce qui n'est pas pour lui et qui aimerait bien souvent réparer une histoire, des histoires tristes – celles qu'il connaît et celles qu'il ne connaît pas. Des histoires qui ne sont pas son histoire. L'amour fait mal. L'amour n'est pas pour moi.

« Pour moi, rien n'est jamais acquis. Le moindre plaisir, sitôt vécu, est remis en cause par l'attente d'un autre plaisir, qui ne vient pas. Et tout bonheur possible, je le mets en doute par des questions incessantes. Est-ce la bonne personne ? Suis-je assez aimé, est-ce que j'aime assez ? Si ce que je vivais était ce que j'avais à vivre, je serais dans l'évidence. Mes questions augmentent encore mon incertitude. » Rien n'est jamais acquis, car ce qui *est* laisse toujours trop de doutes, mais aussi parce que l'acquis fermerait la porte à d'autres horizons. Il me faut quelque chose qui *n'est pas là*. Ne m'enferme pas dans ce que je connais déjà.

Rien n'est jamais acquis, tant ma soif est grande. Immense, infinie. Tant j'aspire à un bonheur qui me dépasse et qui, sitôt embrassé, m'échappe déjà. Tant ce que j'attends de toi, tu ne peux me le donner, ce que j'espère de la vie, la vie ne peut me l'offrir. Ma soif est trop vive.

Quand la soif est trop vive, rien ni personne ne peut la désaltérer : seul peut y répondre le rêve d'un amour absolu, d'une vie parfaite mais imaginaire. Toute confrontation avec la réalité est déception. L'autre ne peut être que manque : sa présence réveille la douleur d'un idéal absent. On reste dans le rêve et la réalité fait fuir – ou on la fuit. Si les projets sont bienvenus, ils restent à l'état de projets, et si les promesses abondent, elles sont sans lendemain. J'aime avoir soif de toi. Mais pas que tu sois là.

Quand la soif est trop vive, elle est devenue une raison de vivre. Une soif que l'on veut étancher et que l'on ne veut pas perdre. Perpétuer le manque de l'instant évite de se retrouver dans un manque plus profond, un manque sans objet. Un manque qui ne peut être nommé et plonge dans le néant. Tant que je désire, je vis ; si je ne désire plus rien, je n'existe plus. J'aime ma soif, plus encore que toi.

Quand la soif est trop vive, l'autre n'existe pas. Il est le support d'une guérison, utilisé à cette fin, parfois d'un plaisir fugace ou d'un besoin de réassurance. Il est là non pour ce qu'il est, mais parce qu'il importe de savoir comment il aime. Il est là pour ce qu'il donne, même s'il ne sait pas ce qu'il lui faut donner. Objet d'une exigence parfois sans limites, il est mis sur un piédestal, pour être ensuite, s'il ne répond pas à la demande, plus bas que terre. On se concentre sur lui, sur ses faits et dires ; mais sait-on pour soi quel est son vrai désir ?

Quand la soif est trop vive, l'autre est absent comme le désir est absent. Absents dans le sens où « ils » n'ont pas de nom, ne peuvent être nommés. Soit le désir se fixe sur un objet et ne le voit pas. Soit il est dispersé : partout il se pose et jamais ne s'arrête. Désirer toutes les femmes, tous les hommes, c'est ne désirer personne. « Être avec une femme, c'est perdre toutes les femmes », « Laisser un seul homme vous aimer, c'est délaisser tous les autres qui vous aiment ». C'est ainsi que le désir ne se pose nulle part en particulier.

Quand la soif est trop vive, la patience et le discernement font défaut. On se tourne vers l'homme ou la femme susceptible d'étancher la soif de l'instant, mais l'urgence et la précipitation font bien souvent de ce choix un mauvais choix : l'autre est bien loin de l'idée que l'on s'en fait et sa présence – ou son absence – laisse ensuite, sinon un goût amer, une soif plus douloureuse encore.

Quand la soif est trop vive, on s'éloigne de soi et de son vrai désir. On s'éloigne de la source : et on ne sait même plus s'il en est une que nous pourrions trouver et où il faudrait la chercher.

> *« Seigneur, tu n'as rien pour puiser,*
> *et le puits est profond,*
> *d'où la tires-tu donc cette eau vive ? [...]*
> *Seigneur, donne-moi de cette eau*
> *que je n'aie plus jamais soif*
> *et que je ne vienne plus ici pour puiser. »*

Quelle est cette « eau vive » qui calmerait ma soif ? Et serait-il possible de construire une relation autrement que sur du manque ? De connaître le bonheur de la plénitude et non plus la pénible sensation d'un vide impossible à remplir, à l'image d'un puits sans fond ? Je n'aurais plus le besoin impétueux et incessant d'aller puiser *au-dehors* ce que j'aurais *au-dedans* : attendre d'un homme, d'une femme, qu'il ou elle soit source d'amour et d'eau vive. Je serais *animé* du désir de vivre, du désir d'aimer. Un désir qui serait déjà source avant que d'être soif.

Un désir sans douleur, expression même de la vie. De la vie en moi, de la source de vie. Trop souvent, j'attends de toi, de ton amour, de mon amour pour toi, qu'ils donnent un sens à ma vie. Or n'est-ce pas à la vie de donner un sens à mon amour : une direction, un chemin, une voie « royale » ? C'est la vie en moi qui t'appelle, t'aime et te désire.

« La source vitale doit toujours être la vie elle-même, non une autre personne. Beaucoup de gens, des femmes surtout, puisent leurs forces chez un autre être, c'est lui leur source vitale, non la vie elle-même », dit Etty Hillesum.

Pour la Samaritaine, la source est tarie, car sitôt la cruche remplie, elle se vide. Et le cœur est sec comme il peut l'être pour tout homme ou toute femme qui ne peut se désaltérer à aucune source. Tout homme ou toute femme qui ne trouve chez personne de quoi étancher sa soif, ni son mari, ni sa femme, ni ceux qu'il côtoie ; ou bien n'a pas encore rencontré l'âme sœur, l'homme ou la femme qui pourrait enfin combler son manque. La source est tarie si j'attends toujours d'un autre de découvrir la force d'eau vive qui est en moi.

Quand Jésus s'approche de la Samaritaine et lui demande à boire, il sait que cette femme a soif et que sa soif est douloureuse. Jésus est un guérisseur ; il agit en guérisseur. Il fait savoir à cette femme qu'il entend sa soif et qu'il va l'aider à trouver sa source. Tout au long de ce dialogue qu'il commence en exprimant sa propre soif – « Donne-moi à boire » – il met la Samaritaine face à la sienne et l'invite à boire une eau avec laquelle elle n'aura plus soif, plus jamais soif. Il l'invite à ne plus être dans le manque, dans la douleur du manque. À trouver en elle sa source de vie.

Afin, dit-elle, « que je ne vienne plus ici pour puiser ». Sa quête d'eau vive, sa quête d'amour l'épuise. Revenir et revenir sans cesse sur le métier, puiser l'insondable profondeur de son désir, être remplie d'espoir, puis être à nouveau sans espoir, repartir encore pour une ou d'autres histoires. Elle sait le caractère dérisoire de ces allers et retours du désir – tantôt le désir est là, tantôt il n'y est plus. Mais elle continue, têtue et opiniâtre, à puiser là où il lui est dit d'aller : le puits de ses ancêtres. Elle va à la source de ce qu'elle connaît, depuis des générations et des générations. Et certainement répète-t-elle les comportements qui lui ont été appris, sans vouloir déroger à la loi familiale. Sa soif ne connaît d'autre chemin que le désir des autres. Elle ne connaît pas encore le chemin de son désir.

Si elle cherche avec ferveur à *remplir sa vie*, certainement ne va-t-elle pas dans la bonne direction, car elle ne sait pas où est son véritable désir – elle n'en connaît que la part d'ombre, le manque. Elle *remplit le manque*, qui n'est pas toujours le sien, mais celui de ses parents, de ses grands-parents... Elle subit le poids de ses ancêtres, un poids d'autant plus lourd que la mémoire est profonde, comme le puits. Elle vit toujours dans le passé, ou dans l'avenir, remettant à plus tard la réponse à ses interrogations fondamentales : quand le Messie viendra. « Je sais que le Messie, quand il viendra, nous expliquera tout. » Jésus la remet face au présent, à son manque tel qu'elle le vit maintenant. Mais il lui donne aussi le moyen d'y répondre, maintenant.

Il lui dit : la réponse est en toi. Creuse le puits de ton désir. Le puits de ton désir n'est pas celui des autres. N'écoute plus ceux qui te disent qu'il faut aller prier sur cette montagne ou sur cette autre. N'attends plus la venue du Messie pour savoir quel est ton chemin. « Moi qui te parle, Je suis. » C'est maintenant et en toi-même que tu peux trouver la source de ton désir.

N'aie plus crainte d'avoir soif. Tu pourras boire à ta soif. À satiété.

> « L'eau que je lui donnerai
> deviendra en lui une source,
> jaillissement de vie éternelle. »

Mais le fond du puits, là où est la source du désir, est encombré de croyances passées, d'illusions et de désillusions. Et le désir est enseveli sous des contraintes et des contrariétés, recouvert d'occupations et de préoccupations. La Samaritaine ne sait plus rien de son désir, si ce n'est les attentes frustrées, la frustration de tant d'attentes. Ainsi que le dit Etty Hillesum, « il y a en moi un puits très profond. Et dans ce puits, il y a Dieu. Parfois je parviens à l'atteindre ; mais plus souvent, des pierres et des gravats obstruent ce puits, et Dieu est enseveli. Alors il faut le remettre au jour ».

Au fond du puits, il y a Dieu, *Deus*, le jour, la lumière. Au fond du puits, la source de vie. Au fond du cœur, aux tréfonds de mon âme, une lumière qui jamais ne s'éteint. Une petite flamme, joyau d'éternité, pierre si précieuse entre les pierres et les gravats. Même au plus profond de la douleur, je suis vivante, la vie est là. Même si je ne me sens pas aimé comme je l'aurais désiré – et désiré comme je l'aurais aimé – la vie est là qui coule dans mes veines. Nous sommes si pleins de vie et ne le savons pas ; notre vie est si pleine de joies et de bonheur que nous ne voyons pas.

La Samaritaine est ignorante de la source de vie qui est en elle. Elle est endormie : en sommeil de sa propre vie, de ce qu'elle est. Jésus la réveille de ce sommeil. « L'heure vient, nous y sommes, où les vrais adorateurs adoreront le Père *in Pneuma et aletheia.* » *Pneuma*, le souffle, et *a-letheia*, sortir de la léthargie, du sommeil : les vrais adorateurs adoreront le Père dans le souffle et la vigilance. Dans le souffle, la source de vie, en conscience. Dans la conscience du souffle, du souffle de vie.

Le jour où la Samaritaine reprendra connaissance de ce qu'elle *est* – ou prendra connaissance, en a-t-elle jamais eu conscience ? – la croyance en sa propre richesse remplira le puits d'une eau éternelle. Elle pourra offrir de l'eau vive à son mari qui, désaltéré, lui donnera à son tour amour et reconnaissance. Elle cessera d'attendre pour être dans le don et l'offrande. « L'être est don », ainsi que le dit Jean-Yves Leloup. Don de soi, don d'amour, don de vie. Source infinie d'amour et de vie.

> « Mon amour est aussi profond que la mer,
> Oui, plus je donne, plus je possède
> L'un et l'autre sont infinis. »

Roméo et Juliette, II, 2

Arrêtée au bord du puits, la femme, celle qui est éveillée comme la Samaritaine à la conscience de la source, de sa source – la femme, le féminin –, peut offrir à l'homme – le masculin – de se désaltérer. Elle l'invitera tout d'abord à se poser près d'elle, à prendre un temps de pause, loin de la ville, de son agitation et de ses distractions. Même s'il est amené à vivre ce qu'il souhaite le plus ardemment, l'homme – l'homme, encore plus que la femme – craint d'être arrêté dans son mouvement. Ainsi que Giacometti les montre dans ses sculptures, l'homme est en marche, tandis que la femme a les deux pieds l'un à côté de l'autre. L'homme marche droit vers son destin, tandis que la femme est là, dans un temps immobile, symbole de vie et de permanence. Elle peut donner la vie, elle connaît la possible plénitude, elle la porte en elle. Elle *est* la source.

Elle offre à l'homme de *partager son temps* (au sens le plus fort du terme), un temps qui s'écoule dans la sérénité, un temps non inquiété du temps. Un temps arrêté pour mieux contempler la beauté. Temps d'inspiration, de réflexion, de ressourcement. Elle permet à l'homme qui l'approche de se pencher avec elle pour regarder au fond du puits, le puits du désir, le puits de la vérité, le puits de l'âme ; le puits du mystère de la vie. Plonger sans crainte dans les profondeurs du puits et en retirer les pierres et les gravats, tout ce qui encombre l'esprit et alourdit le cœur. Comment aimer le cœur trop plein et l'esprit occupé ? Ne faut-il pas vider la coupe avant de la remplir ?

Ne faut-il pas prendre le temps pour chacun d'aller au fond de son puits ? Et y rester le temps suffisant, concentré sur sa tâche, fidèle à une personne, un lieu, une religion, une thérapie, fidèle surtout à sa quête, à l'essentiel de sa quête. Râmakrishna raconte l'histoire d'un homme qui voulut creuser un puits. Ne trouvant pas d'eau, il changea trois fois d'emplacement, creusant à chaque fois plus profondément, mais sans résultat. Découragé, il finit par abandonner. « S'il avait eu la patience de faire seulement la moitié de ce travail au même endroit, sans changer d'emplacement, il aurait sûrement trouvé de l'eau. » S'il avait persévéré dans son désir, fidèle au dessein qui est le sien, il aurait rencontré la source.

À l'image des statues de Giacometti, comment l'homme et la femme peuvent-ils se rencontrer, si l'un est en marche quand l'autre est arrêté ? Ne leur serait-il pas possible, un temps, de se poser ensemble, et descendre dans le puits pour y « approfondir la relation », un autre temps de marcher ensemble, l'un à côté de l'autre ? L'homme conduirait alors la femme dans son univers, dans sa quête métaphysique – même si elle est bien souvent masquée par une quête plus immédiate d'objets et de biens –, dans son besoin d'espace et de liberté, son désir de regarder ailleurs, toujours plus loin. Car si la femme regarde l'homme, « son » homme, ce dernier éprouve le besoin de la regarder, mais aussi de regarder au-delà d'elle. Il pourra se poser s'il se sent libre d'aller, et elle pourra s'ouvrir à d'autres horizons si elle se sent reconnue dans ce qu'elle est. L'un et l'autre accordant leurs pas, ils permettront au temps et à l'espace de se rencontrer, au féminin et au masculin de se conjuguer pour vivre dans la plénitude l'instant présent. Deux êtres libres qui laissent le souffle de vie les traverser et les porter.

Aimer dans la conscience de ce souffle conduit à être vigilant. La relation, pour qu'elle reste de l'eau vive, demande d'être en éveil. « Il faut rester en éveil quand on devient un couple ; être soi-même sa propre sentinelle. » Être déjà en état de veille : veiller sur la relation comme on veillerait sur un enfant. La voir grandir et l'élever : la voir *s'élever*. Belle et lumineuse, comme une flamme. Mais la flamme est fragile qui demande à être entretenue. Un souffle violent et elle s'éteint ; une absence d'air et elle est amenée à disparaître. Aimer dans la conscience du souffle qui nous traverse, c'est revenir à la source et ne pas se perdre dans la soif.

Si la Samaritaine avait appris à aimer avec sa source et non plus avec sa soif, on peut imaginer qu'elle aurait « eu un mari » parmi ses six maris. Et si elle avait « eu un mari », un de ses maris « aurait eu une femme ». Pourrait-on avoir un mari – ou une femme – qui n'a pas la sensation d'avoir une femme – ou un mari ? Si l'un est toujours dans la soif, l'autre peut-il lui faire partager sa source ? Le premier peut répéter à l'infini l'expérience du mariage sans jamais avoir la sensation d'être marié. Et le second subir cette insatisfaction et se sentir impuissant à aimer et être aimé. Pour mettre fin à cette soif douloureuse, peut-on apprendre à aimer ?

Certainement peut-on apprendre avec le temps à aimer. « Je ne sais pas si je peux aimer quelqu'un d'autre », peut-on dire après une séparation. À traduire : je ne sais pas si je peux aimer autrement : puis-je découvrir cet autre en moi, capable d'aimer d'un autre amour ? Mais on peut apprendre à aimer la même personne d'un autre amour, d'un amour qui ne cesse d'évoluer et de s'épanouir avec le temps.

Apprendre la patience et la persévérance pour aller à la source de mon désir et pour aller vers toi, pour découvrir l'amour au travers de ton visage, mieux te connaître dans ta similitude et ta différence, faire l'expérience d'une soif qui n'est pas souffrance, et croire enfin l'amour possible. Je viens à toi avec mon désir, non avec mon manque, avec ma source, pas seulement avec ma soif.

« Ma relation coule de source. » Ma relation ne se construit pas sur le manque, mais sur le plein. Elle se nourrit de ce qui est, non de ce qui n'est pas. Elle naît du silence, non du bruit. Elle s'épanouit dans la solitude, mais ne craint pas la foule. Elle s'enrichit dans la diversité, mais ne se perd pas dans la multiplicité. Elle se vit dans la liberté et non la contrainte, la générosité et non la retenue. Elle a la nature du « un », comme la source.

La source est fluide. Penser à toi n'est pas une pensée arrêtée par les mots du manque, trop de doutes et surtout de non-dits. Une soif jamais assouvie, qui questionne ce que tu es ou n'es pas, as ou n'as pas. Ma pensée vers toi se fait légère, sans reproches et sans rancunes. Quand je pense à toi, je *suis* avec toi en pensée. Je ne me contente pas d'*avoir* une relation avec toi, je *suis* en relation avec toi. Ce n'est pas toi ni la relation qui me font vivre ; c'est la vie en moi, en toi, qui fait vivre la relation.

La relation vit en moi. Je ne la porte pas « dans moi tel un oiseau blessé », comme dans le poème d'Aragon, elle me porte, elle est en moi. Je *suis* la relation. « On sent bien qu'elle a quelqu'un dans sa vie », peut-on dire d'une femme qui laisse entrevoir la beauté d'une union, la lumière d'un lien apaisé, la sérénité de l'unité retrouvée, où l'on est deux en un mais où chacun reste un. « On sent qu'il a fait une nouvelle rencontre. » L'autre est là, présent même s'il n'est pas visible. Ou plutôt l'est-il à travers la présence de celui qui le porte en lui. « Elle est toujours présente avec moi. » Le « mariage » n'a-t-il pas avant tout sa place *dans* notre cœur ? On peut *être* marié, que l'on ait ou non un mari.

Moi avec toi, toi avec moi. Quand je pense à toi, j'ai une pensée *pour* toi. Dirigée vers toi sujet et non objet de mon amour. « Je l'ai choisi dans l'inconscience. Maintenant, j'apprends à l'aimer en conscience. » J'apprends à t'aimer dans la conscience de ce que tu es, mais sans perdre la conscience de ce que je suis. Comment apprendre à aimer si je n'apprends pas à t'aimer ? Comment t'aimer si moi je n'existe pas ? Mais comment nous aimer si l'amour entre toi et moi n'est pas ?

Ce n'est pas mon amour qui est infini, ce n'est pas ton amour qui est infini. Ce qui est infini est l'amour qui nous unit.

En laissant sa cruche peut-être la Samaritaine a-t-elle compris qu'elle n'en avait plus besoin. Du puits jaillit une source d'eau vive. D'une eau éternelle. Elle pourra désormais vivre d'amour et d'eau vive. D'un amour qui est une eau vive.

« Ce n'est pas moi qui contiens mon amour, c'est mon amour qui me contient. Je n'ai même pas à veiller sur lui car il appartient au monde des choses divines qui ne redoutent rien des remous de l'existence. C'est sur moi que je dois veiller afin de m'emplir le plus possible de ce mystère qui m'enveloppe. L'amour ne peut me manquer, mais je peux manquer à l'amour. Mon âme est à l'amour ce que les poumons sont à l'air : l'air est inépuisable et ne se refuse jamais le premier, seuls les poumons peuvent défaillir et cesser de respirer », écrit Gustave Thibon.

III

De quel amour aimons-nous ?

« Pierre, m'aimes-tu ? »

« Après le repas
Jésus dit à Simon Pierre :
"Simon, fils de Jean, m'aimes-tu (agapè)
plus que ceux-ci ?"
Il lui répondit :
"Oui, Seigneur, tu sais toute l'amitié (philia)
que j'ai pour Toi."
Jésus lui dit :
"Sois le berger de mes agneaux."

Il lui dit une seconde fois :
"Simon, fils de Jean, m'aimes-tu (agapè) *?"*
Il lui dit :
"Seigneur, tu sais bien toute l'amitié (philia)
que j'ai pour Toi."
Il répondit :
"Sois le berger de mes agneaux."

Jésus lui dit pour la troisième fois :
"Simon, fils de Jean, as-tu de l'amitié (philia)
pour moi ?"
Pierre fut peiné de ce qu'Il lui demandait
pour la troisième fois "m'aimes-tu" (philia).
Il lui dit :
"Seigneur, tu sais tout, tu sais bien

que je t'aime (philia)*."*
Il lui dit :
"Sois le berger de mes agneaux." »

Jean 21,15-17
(traduction de J.-Y. Leloup)

Le dialogue entre Pierre et Jésus laisse pressentir les difficultés que nous pouvons avoir avec le mot « amour » ; le disciple et le Maître ne parlent pas du même amour et le texte grec nous y rend sensibles. Entre *philia* et *agapè*, il y a toute la distance que l'on peut imaginer entre un amour humain très évolué « capable de l'autre », capable d'amitié, mais qui attendra toujours consciemment ou inconsciemment quelque chose en échange ou en retour, et l'amour divin : amour gratuit, inconditionnel, sans attente d'un retour.

On ne peut pas aimer ses ennemis d'amitié (*philia*), on peut les aimer d'*agapè*, c'est-à-dire gratuitement, sans complaisance et sans illusions. L'Amour auquel Jésus invite ses disciples, c'est l'*agapè*.

Agapete allelous, « aimez-vous les uns les autres ». Faites l'expérience de cet amour gratuit, sans attente. Apprenez à aimer comme moi je vous ai aimés et vous deviendrez ce que « Je suis ». « Qui demeure dans l'Amour (*agapè*) demeure en Dieu et Dieu demeure en lui. »

L'Amour dont il est question ici est évidemment impossible si on le considère selon les présupposés anthropologiques matérialistes. Au niveau psychique, on aime pour être aimé. Ce n'est que dans l'ouverture de notre être psychique à la dimension spirituelle que cet « amour gratuit », qui ne cherche pas et n'attend pas d'être aimé en retour, devient possible.

À ce niveau d'amour, la phrase bien connue de Lacan peut être une excellente introduction : « Aimer, c'est donner ce qu'on n'a pas à quelqu'un qui n'en veut pas. »

L'*agapè* n'est pas de l'ordre de l'avoir : on ne l'a pas, il se donne à travers nous et parfois sans que nous en connaissions la cause, rien d'extérieur ne le provoque ; alors que l'amour désir (*eros*) ou l'amour amitié (*philia*) s'articulent assez bien dans le corps et le psychisme que nous sommes, on peut « avoir » de cet amour-là. Donner ce qu'on n'a pas à quelqu'un qui n'en veut pas, c'est la liberté même à l'égard de toute attente de retour, sachant que l'autre veut rarement être aimé dans la forme d'amour dont nous l'aimons et c'est tant mieux, mais il ne veut surtout pas de cet « amour gratuit » ; d'abord il en doute, il n'y croit pas et il ne peut s'empêcher de soupçonner quelque intention ou intérêt caché.

Pierre et Jésus ne s'entendent qu'à mi-mot, le même mot « amour » n'a pas pour les deux le même sens, la même intensité, la même exigence...

Mais avant de parler de *philia* et d'*agapè*, qui sont des formes et des qualités d'amour supérieures, n'existe-t-il pas d'autres formes et d'autres qualités d'amour dont nous pouvons faire l'expérience et qu'il s'agit également de différencier ? Car, nous le pressentons, si nous employons le même mot pour dire « j'aime les framboises, j'aime mon chien, j'aime ma femme, j'aime le travail bien fait, la justice, l'art, la vérité, j'aime Dieu... », nous ne parlons pas du même amour, ni heureusement de la même expérience, même si un fil ténu relie et tient ensemble ces différentes façons d'aimer.

Échelle 1

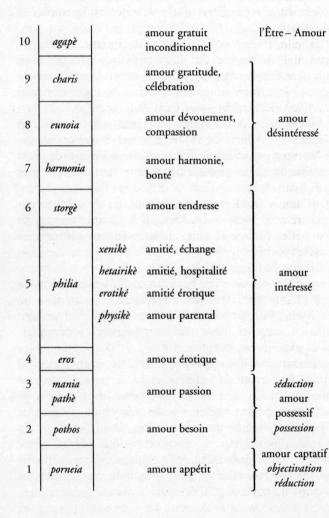

10	*agapè*		amour gratuit inconditionnel	l'Être – Amour
9	*charis*		amour gratitude, célébration	
8	*eunoia*		amour dévouement, compassion	amour désintéressé
7	*harmonia*		amour harmonie, bonté	
6	*storgè*		amour tendresse	
5	*philia*	*xenikè*	amitié, échange	amour intéressé
		hetairikè	amitié, hospitalité	
		erotiké	amitié érotique	
		physikè	amour parental	
4	*eros*		amour érotique	
3	*mania pathè*		amour passion	*séduction* amour possessif
2	*pothos*		amour besoin	*possession*
1	*porneia*		amour appétit	amour captatif *objectivation réduction*

Les anciens aimaient les échelles pour essayer de symboliser les différents niveaux d'être et de conscience, en sachant que la santé c'est de monter et de descendre et de tenir ensemble les deux bouts de l'échelle, le haut et le bas, le plus charnel et le plus spirituel. L'homme est lui-même souvent symbolisé par une échelle et c'est là sa mission : tenir ensemble le ciel et la terre, le plus divin et le plus humain, afin de réaliser l'« archétype de la synthèse ».

Pourrions-nous imaginer une échelle de l'amour ? Et si vivre c'est apprendre à aimer, n'est-ce pas apprendre à monter et à descendre cette échelle, à en goûter chaque barreau, la hauteur et le point de vue qu'il nous offre sur le réel ?

L'amour est aussi un arc-en-ciel qu'on ne peut pas réduire à une seule de ses couleurs. Chaque barreau de l'échelle, comme chaque couleur de l'arc-en-ciel, est une expérience particulière et irremplaçable de l'Un innombrable de l'amour.

Il n'y a pas de bons ou de mauvais amours, il n'y a que des évolutions arrêtées, arrêtées à un barreau de l'échelle. S'enfermer dans une couleur, c'est réduire l'amour dans les limites de notre petite ou « très grande » expérience.

De même que Wittgenstein dit à la fin du *Tractatus* qu'il faut rejeter l'échelle grâce à laquelle on est monté, « alors on aura la juste vision du monde », je dirai que pour avoir une juste vision de l'amour, il s'agit aussi d'oublier ces échelles, d'oublier aussi les lunettes sexologiques, psychologiques ou philosophiques avec lesquelles nous l'avons observé. Plotin, grand amateur d'échelle lui aussi, reconnaissait que « nous ne parlons pas de l'Un, mais de nous-mêmes, c'est-à-dire de l'état de notre être, de notre pensée (et

10	*agapè*	amour gratuit	l'Amour qui fait tourner la terre, le cœur humain et les autres étoiles – ce n'est pas seulement moi qui aime et qui t'aime, c'est l'Amour qui aime en moi
9	*charis*	amour célébration	Je t'aime parce que je t'aime – c'est une joie – c'est une grâce d'aimer et de t'aimer – je t'aime sans condition – je t'aime sans raison
8	*eunoia*	amour dévouement	J'aime prendre soin de toi – je suis au service du meilleur de toi-même
7	*harmonia*	amour harmonie	Que c'est beau la vie quand on aime – nous sommes bien ensemble – avec toi tout est musique – le monde est plus beau
6	*storgè*	amour tendresse	Je suis meilleur(e) que moi-même quand tu es là – j'ai beaucoup de tendresse pour toi – je suis heureux(se) que tu sois là
5	*philia*	amour amitié	Je te respecte – je t'admire – j'aime ta différence – je suis bien sans toi – je suis mieux avec toi – tu es mon (ma) meilleur(e) ami(e) – j'aime être avec toi – tu me fais du bien
4	*eros*	amour érotique	Je te désire – tu me fais jouir – tu es belle – tu es beau – tu es jeune
3	*mania pathè*	amour passion	Je t'aime passionnément – je t'ai dans la peau – tu es à moi, rien qu'à moi – je t'aime comme un fou, je ne peux pas me passer de toi
2	*pothos*	amour besoin	Tu es tout pour moi – j'ai besoin de toi – je t'aime comme un enfant
1	*porneia*	amour appétit	Je te mangerai – je t'aime comme une bête

de notre affectivité) par rapport à sa réalité toujours transcendante ».

Ainsi en est-il de l'amour ; ce n'est pas de lui que nous parlons, mais des états d'âme et des expériences que chacun, dans ses limites et selon ses capacités, peut en avoir. L'intensité subjective d'un vécu ne nous apprend pas grand-chose sur la réalité qui apparemment en est la cause.

Aussi, à côté de l'approche « cataphatique » de l'amour, c'est-à-dire l'affirmation que l'amour, c'est ceci, c'est cela (*eros, philia, agapè*), il faudrait ajouter avec autant de rigueur et de certitude : l'amour, ce n'est pas ceci, ni cela (*eros, philia, agapè*). Une approche apophatique est toujours nécessaire, pour corriger les inflations et les prétentions de ceux qui prétendent « expliquer » ce qui leur échappera toujours.

D'une certaine façon, réfléchir sur l'amour, c'est se placer en dehors de lui, c'est parler de ce qui nous manque. Ceux qui aiment, ni le temps ni l'espace ne leur sont donnés pour ce recul... L'Amour les centre et c'est le silence houleux de la mer.

D'un point de vue théologique, de même que saint Jean disait que « le logos se fait chair » on préciserait : l'Amour se fait chair, c'est-à-dire la Source se fait soif, elle descend des hauteurs pour nous rejoindre dans nos besoins, nos demandes, nos désirs.

Il faudrait aussi ne pas oublier l'autre versant de la *théosis* orthodoxe : « Le logos se fait chair, pour que la chair se fasse logos », « La conscience prend corps pour que le corps prenne conscience ».

L'*agapè*, l'Amour, prend corps pour que le corps devienne Amour ; la Source se fait soif, pour que la soif se fasse source, ce que saint Augustin résumait admirablement : « La Source a soif d'être bue. »

Notre soif d'amour, c'est déjà l'Amour même, vécu sur le mode du manque en attendant ce jaillissement sans questions, ou cette efflorescence du don qui nous le fera vivre sous le mode du don.

Cette échelle n'est pas une échelle de valeur. Qui oserait dire qu'un « je t'aime » vaut plus qu'un autre ? Celui du sommet est sans doute le plus libre, ceux des premiers barreaux les plus dépendants et donc les plus douloureux, mais que sait-on de la « qualité » d'un amour ? Qui prétendrait en être la mesure ?

Cette échelle n'est pas un thermomètre, elle ne sert pas à mesurer la chaleur, l'incandescence ou la qualité de nos amours. Elle nous rappelle simplement la variété infinie d'expériences que l'on peut mettre derrière le mot « amour ». C'est une invitation également à « accorder nos violons », nos façons d'aimer, et à respecter les choix de l'autre. Nous sommes à tous les barreaux à la fois. Dans le sage et le saint, il y a toujours un enfant qui sommeille et qui a faim d'être aimé, seulement la faim ne remplit pas tout l'espace en lui, il demeure à travers ses manques acceptés capable de désir et de gratuité.

L'Amour se fait chair dans toutes les dimensions de la chair, et il ne faudrait pas oublier que c'est le même Amour qui s'incarne dans la pulsion sexuelle et dans l'appétit charnel que celui qui nous rend capables de prière et de célébration. L'énergie de l'Amour est une.

L'Amour se fait chair, c'est l'aspect « descente de l'échelle » : faire descendre la grâce d'être et d'aimer dans toutes les dimensions de l'humain, mais c'est aussi pour que la chair devienne Amour, capable d'*agapè*, et c'est le côté ascendant de l'échelle ; l'évolution à travers laquelle nous apprenons non seulement à aimer, mais à devenir l'Amour même, celui qui selon Dante « fait tourner la terre, le cœur humain et les autres étoiles ».

Il y aurait tant à dire et à écrire sur chacun de ces barreaux de l'échelle. Sur la plupart on a déjà beaucoup écrit, mais on les a tenus rarement ensemble. Les spécialistes de la libido ne s'intéressent guère à la spiritualité et à la mystique (si ce n'est pour la réduire à leurs catégories) et vice versa. Généralement les « psy » se méfient des « spi » (parfois ils les font même enfermer) et les « spi » se méfient des « psy », parfois même ils les méprisent, les considérant comme des animaux savants n'ayant pas encore accédé au niveau proprement humain. Notre travail est là pour rappeler l'union possible des deux.

Que l'homme ne sépare pas ce que la vie et l'Amour tentent sans cesse d'unir : la matière et l'esprit, l'homme et la femme, la terre et le ciel, l'homme et Dieu, la passion et la compassion, le fini et l'infini...

Porneia

L'amour *porneia* n'est pas obligatoirement celui auquel on pense. C'est d'abord l'amour de l'enfant pour sa mère : il a faim, il faut bien qu'il mange et le petit ogre n'a que sa mère à manger. Il aime être nourri, l'autre est pour lui une nourriture qui doit combler son manque le plus primaire : sa faim, son besoin. L'« objet maternant » est censé répondre à ce besoin ; ce qui est charmant et naturel chez un nouveau-né l'est peut-être moins chez un adulte qui continue de demander à l'autre de combler son manque et qui le réduit à n'être que la pâture dont il a besoin pour calmer ses appétits.

Mais quel que soit notre âge il y a toujours de l'enfant en nous et on connaît mieux les pathologies et les fixations liées au stade oral. La libido pervertie peut s'investir dans la consommation de certains liquides (alcoolisme) censés combler le manque. Elle se manifeste surtout dans cette attitude qui ne sait que consommer l'autre pour le réduire sans cesse au même, c'est-à-dire à soi. L'autre n'est pas différencié, il n'est là que pour répondre à mes besoins, qu'ils soient nourriciers, sexuels ou affectifs.

Consommer ou communier ? Là est la question. Passer d'un comportement carnivore, omnivore ou anthropophage à un comportement plus humain. Passer de la *gastrimargia* à l'*eucharistia,* disent les anciens. C'est aussi retrouver le climat du paradis qui est un climat de communion. Communier à l'Être à travers tous les êtres, reconnaître et respecter Sa Présence dans tous les corps, c'est aussi accéder à un amour adulte, libre des boulimies ou anorexies infantiles, c'est-à-dire libre de l'avidité, mais aussi de la peur ou du refus. Un amour sublime qui manquerait d'appétit ne serait peut-être pas encore entier.

De nouveau il n'y a rien à refouler, il s'agit de s'accepter avec ses faims, ses besoins, ses appétits et de ne pas en être l'esclave. Devenir capable de communion avec l'autre, ne pas seulement consommer et consumer.

Placer le critère de validité d'un mariage dans sa « consommation », c'est le placer au plus bas, dans ce qu'il peut avoir de plus infantile : la rencontre de deux appétits différents, plus ou moins bien accordés. Ce n'est pas encore la rencontre de deux personnes, de deux sujets non objets de leurs appétits, capables de communion ; ce ne sont pas « deux libertés qui s'inclinent l'une devant l'autre ». C'est à ce niveau qu'on devrait considérer la validité d'un mariage ou d'une alliance, mais selon ce critère, il est vrai, bien peu de mariages seraient considérés comme valides ou tout simplement réels.

Ce sont souvent les inconscients qui se marient (personnel, familial ou collectif), il faut encore tout un chemin de maturation pour que ce soient deux consciences qui s'épousent...

Pothos, pathè, mania

Cette forme d'amour est dans le prolongement de *porneia* mais s'ajoute à la dimension pulsionnelle la dimension émotive qui peut parfois se suffire à elle-même, sans participation de la sexualité.

« Je suis fou de toi, je ne peux pas me passer de toi, je t'ai dans la peau, tu es tout pour moi » : autant d'expressions qui manifestent l'intensité de cet état exalté qui submerge tous les autres aspects de la personne.

Quand on lit *L'Art d'aimer* d'Ovide, le grand art, ce n'est pas seulement d'éviter les maladies sexuellement transmissibles mais d'éviter ces maladies pires que toutes que sont *pothos*, *pathè* et *mania* qu'on regroupe aujourd'hui sous le terme de « passion amoureuse ». Les anciens voyaient là la source de tous les maux : la perte de la raison, le désordre dans la société, la débilité mentale et bien sûr la possession par de mauvais esprits qu'il fallait exorciser par la lucidité considérée comme la plus haute forme de prière.

Nous sommes aujourd'hui beaucoup plus indulgents avec ce type d'amour, il constitue même la matière essentielle de nos romans et de nos chansons. Pour certains c'est l'amour même, celui dont on rêve, celui que l'on cherche, que l'on demande : « Tu es tout pour moi, je veux être tout pour toi. » On pressent le genre de problèmes que vont entraîner ces affirmations.

L'autre n'est jamais tout pour moi et c'est ce qu'une mère ou un père intelligents essaient de faire comprendre à leur enfant quand celui-ci a tendance à faire de ses parents « tout son univers » ; de même il doit comprendre qu'il n'est pas « tout pour ses parents ». Tout c'est toujours trop, surtout trop de responsabilité : si je suis tout pour toi, je suis donc responsable de ton bonheur, je ne peux pas regarder ailleurs, je sortirais alors du tout que tu es, etc.

La fixation à ce type d'amour s'enracine généralement dans la période dite du stade anal, où l'enfant apprend le contrôle de son propre corps, tout en le différenciant du corps de la mère ; c'est le moment où il s'approprie de diverses façons l'univers environnant, qu'il cherche à posséder, littéralement à « s'asseoir dessus »...

Chez l'adulte, on retrouvera ce langage de la possession, que ce soit à l'égard des objets, de l'argent, ou des personnes. On ne sait que posséder, et être possédé : « On est aussi possédé par ce que l'on possède », dit le proverbe. L'autre est ma possession, il est à moi, comme je me veux à lui. On pressent tous les problèmes de jalousie que cela va engendrer. On ne peut pas partager ce dont notre vie dépend : « Si tu es tout pour moi, si je ne suis rien sans toi, si tu pars, si tu vas voir ailleurs, je ne peux que mourir, si tu t'en vas, tu me tues... »

Derrière tout cela on devine l'immense insécurité d'un enfant qui n'a pas reçu, dès son plus jeune âge, la confirmation affective dont il avait besoin pour exister, et cette confirmation, il ne cessera de la demander à tous les amours qu'il ne peut vivre que passionnément, car c'est passionnément qu'il demande la reconnaissance, le droit d'exister, d'être réellement sur terre pour quelqu'un.

Les enfants battus préfèrent être battus plutôt que rien ; des coups plutôt que l'indifférence ou l'absence de leur mère ou de leur père. Les passionnés préfèrent souffrir plutôt que rien, de la jalousie ou de la rage (parce que l'autre nous échappera toujours), ils ne supportent pas le manque provoqué par l'absence de l'autre sur lequel ils ont projeté d'un amour de transfert le Tout, l'Être même dont s'origine leur être.

Ce qui se cache dans cette forme d'amour, ce n'est pas le besoin pur comme dans la pulsion, mais une demande, une demande de reconnaissance. Mieux voir cette demande et les manques dans lesquels elle s'enracine peut nous aider à moins se laisser emporter ou posséder par le premier ou la première venue, qui dans l'ébauche de son sourire, dans la douceur de sa parole, semble vouloir nous confirmer affectivement dans notre existence et pour toujours... Tout cela évidemment se joue dans l'inconscient, il n'y a pas de coup de foudre « conscient », la foudre frappe le corps et le cœur là où ils sont les plus fragiles, c'est-à-dire là où il y a la plus grande attente.

Mais la foudre après l'éclair (cet écho fugace d'un Autre Jour) annonce la cendre. Il faut savoir à quoi peut nous « réduire » un amour passion, il ne faut pas ignorer non plus jusqu'où il peut nous « exhausser », mais ce n'est qu'en le dépassant, en se donnant à soi-même et à l'autre le droit à la liberté. L'autre n'est jamais tout, il n'est pas là pour combler mes manques, pour répondre à mes besoins ou à mes demandes, il est peut-être là pour partager avec moi son désir, écouter le mien, et ce désir n'est pas celui de l'impossible retour d'une totalité ou d'une symbiose avec la mère définitivement perdue, mais désir d'une possible étreinte où s'accueillent dans leur finitude deux êtres, sans doute blessés par la vie et ses commencements incertains, mais désormais plus grands que leurs blessures.

Eros

On donne aujourd'hui à l'amour *eros* une connotation immédiatement sexuelle, voire pornographique, alors qu'à l'origine Eros est un jeune dieu ou un ange, un sexe représenté avec des ailes, comme pour signifier une libido qui se dégage peu à peu de l'emprise du besoin (pulsion) et de la demande (*pothos*, *pathè*, *mania*) pour s'élever vers des qualités et des formes d'amour inédites et inconnues.

Avec l'*eros*, on entre dans le domaine du désir : désir d'être désiré, désir d'un autre désir sans doute, mais aussi dans un sens platonicien et plotinien : désir de ce qui nous dépasse, de ce qui nous élève.

« Pour ce qui est inférieur, le bien (et le beau et donc le désirable) est ce qui est supérieur... La remontée s'élèverait toujours plus haut, donnant à ce qui se trouve immédiatement au-dessus de chaque être d'être le bien pour ce qui se trouve immédiatement au-dessous de lui », dit Plotin dans *Les Ennéades*.

C'est le sens même de notre « échelle de l'amour » : chacun de ses barreaux n'a pas d'autre fonction que de nous conduire à l'échelon supérieur, on n'est guéri d'un amour que par un plus grand amour.

C'est avec l'*eros* que l'amour devient à proprement parler humain, il introduit (parfois pour le meilleur, parfois pour le pire) de l'intelligence dans l'instinct, l'oriente ou le désoriente. L'élan vital peut s'accomplir et se dépasser à travers lui ou au contraire se vicier. Il n'en reste pas moins que l'amour érotique fait accéder l'animal, ou l'enfant dépendant de ses demandes, à l'exercice d'une conscience qui peut le rendre libre, même si on ne peut pas demander à tous les amants et amoureux atteints de cette démangeaison des ailes de s'envoler ou de s'élever aussi vers ce que Platon et Plotin appellent le Beau et le Bien. Aimer les beaux corps pour y découvrir la beauté de l'âme, aimer les belles âmes pour remonter à la Beauté même à laquelle elles participent n'est pas un mouvement naturel à tous ceux qui ont le culte d'Eros.

Pourtant selon les anciens, *eros* progresse toujours vers le plus, vers le mieux, cette remontée ne peut s'arrêter que lorsqu'elle atteindra le dernier terme « au-delà duquel, continuent les *Ennéades*, il n'est plus possible de rien saisir en allant vers le haut. Et ce sera là le premier Bien, le Bien véritablement bien, le Bien au sens propre du terme et aussi la cause de tous les autres biens. Pour la matière, le bien c'est la forme, pour le corps c'est l'âme (en effet sans elle il n'existerait pas et ne se conserverait pas), pour l'âme c'est la vertu, et ensuite plus loin vers le haut, l'Esprit et, au-dessus de lui, ce que nous appelons la Nature première ».

Chacun de ces « biens » étant source de plaisir de plus en plus subtils et durables, on comprend qu'*eros* ne s'attarde pas aux « biens » les plus charnels et les plus perceptibles.

On est loin évidemment de l'érotique contemporaine, l'*eros* de nos « machines désirantes » (Deleuze). N'est-ce pas le jeune dieu qui, s'étant détourné de son orientation première vers le Vrai, le Bien, le Beau, à travers les beautés, les bontés et les vérités incarnées, se complaît dans l'alternance de ses tensions-détentes et ne connaît plus d'autre plaisir que celui de la « décharge » (définition freudienne du plaisir) ? Le jeune dieu, comment ne se sentirait-il pas triste et égaré, réduit à ne connaître que les intensités jouissives de la *porneia* : « L'amour, c'est l'extase à la portée des caniches », disait Céline.

La démangeaison des ailes d'*eros* ne se manifeste aujourd'hui pas seulement par un certain retour du romantisme (émotif plus que sentimental), mais aussi par certaines recherches de type « néo-tantrique » où la sexualité peut être considérée comme véhicule d'illumination.

Il y a dans le sexe autre chose que le sexe et qui conduit ailleurs que dans le sexe (répétition ne peut conduire qu'à saturation et dégoût et ce sont là les « larmes d'Eros », selon l'expression de Bataille). Si nous osions suivre les flèches d'*eros*, nous serions sans doute conduits plus vite que nous le pensons de l'instinct à l'amour, de la passion à la compassion, et si c'est bien le désir d'*eros* que de s'effacer devant plus grand que lui, ou, pour parler comme Lacan, si c'est le propre du désir que de vouloir la mort du désir (ce que les bouddhistes ne contrediraient pas), alors la joie d'*eros* c'est de devenir *agapè*.

C'est de laisser le ciel lui ouvrir totalement les ailes et devenir lui-même le lieu d'un Amour inconditionnel sans perdre ses formes toujours appétissantes et désirables...

Philia

Autour de ce terme *philia* que l'on peut traduire par amour amitié, les anciens distinguent différentes formes d'amour qu'il convient de nouveau d'intégrer et de différencier.

La *philia physikè* est la forme d'amour qu'un père ou une mère peuvent avoir pour leur enfant ou qu'un enfant peut avoir pour les gens de sa famille : amour filial ou amour parental, qu'on ne peut pas réduire à *pothos* ou *porneia*. N'est-ce pas d'ailleurs le signe d'une éducation réussie lorsqu'on n'est plus dans le besoin et la demande à l'égard de ses parents, et qu'on peut les rencontrer en tant qu'adultes et en tant qu'amis, « amis que la nature nous a donnés », de même pour les frères et sœurs ?

Pour les parents également, n'est-ce pas une forme d'amour très puissante lorsqu'ils cessent de considérer leurs enfants comme des petits qui ont besoin d'eux, pour qui ils sont encore « tout », et qu'ils peuvent les rencontrer comme des adultes et échanger avec eux sur leur passé commun, leur présent et leur avenir ?

Toutes les familles malheureusement n'accèdent pas à cette qualité d'amour que la nature et le sang seraient censés nous prodiguer. On reste quelquefois dans la dépendance ou dans le rejet (boulimie, anorexie), parfois dans les passions larvées de l'inceste ou de l'incestuel. On n'aime pas du même amour son fils et son amant, ou sa fille et sa maîtresse. On sait quelle source de souffrance peut être cette confusion revendiquée au nom de l'amour par certains.

S'il ne faut pas séparer les couleurs de l'arc-en-ciel, il ne faut pas non plus les mélanger. Dans un cas comme dans l'autre, c'est l'arc-en-ciel qui est déstructuré et qui meurt, de même pour l'amour.

L'inceste est un crime parce qu'il tue et l'amour et l'autre que l'on n'aide pas à se différencier du même. Alors on devient frigide ou impuissant. On ne peut pas coucher avec son père et sa mère et on ne s'autorise pas pourtant à avoir un homme et une femme à soi autres que papa et maman.

Il faudrait parler aussi des comportements hystériques : la petite fille qui n'a pas été reconnue par son père en tant que personne humaine, mais simplement en tant que porteuse d'un sexe qui le fascine et qui manque parfois à la mère, aura du mal à se comporter normalement ou naturellement avec les hommes (et vice versa, on le sait mieux aujourd'hui, le comportement hystérique chez les hommes est en plein développement comme le montre Jean-Pierre Winter dans *Les Errants de la chair*).

Une relation saine et simple avec son père ou sa mère est peut-être la condition pour être capable de relation saine et simple avec l'autre, une amitié (*philia*) libre non seulement des mécanismes du besoin et de la demande mais aussi de la séduction.

Pourtant dans la *philia erotikè,* il semble y avoir de la place pour la séduction, mais c'est celle du jeu et non de la captation. *Eros* a déjà bien déployé ses ailes

dans ce qu'on pourrait appeler l'« amitié amoureuse »,
il s'est dégagé des emprises de la passion, il aime
l'autre en tant qu'autre. Si on cherche à se plaire, à se
faire plaisir, ce n'est pas obligatoirement le signe d'un
œdipe mal résolu ou d'une hystérie en sourdine, c'est
tout simplement ajouter le piment du charme au bonheur d'être ensemble.

On ne peut pas avoir plusieurs passions à la fois, ou
alors quel déchirement et quelle fatigue ! Il est sans
doute possible de vivre plusieurs amitiés amoureuses,
la jalousie normalement devant être moins intense et
douloureuse dans des relations qui se veulent adultes
et conscientes où l'important c'est de plus en plus que
l'autre que l'on aime soit heureux, avec ou sans
« moi »...

L'amitié amoureuse est rare, parce que l'équilibre
est rare entre l'attachement amoureux (souvent exclusif) et le respect de la liberté que présuppose une véritable amitié.

Mais qu'est-ce qu'une véritable amitié, cette *philia
hetairikè*, cet amour des amis, de même sexe ou de
sexe opposé ? Il suppose d'abord une sexualité non pas
absente mais apaisée, sinon on retourne à la passion
(qu'elle soit homosexuelle ou hétérosexuelle), il suppose également une certaine liberté à l'égard de nos
besoins, de nos demandes et de mon *eros* pris au sens
de désirs charnels : mon ami n'est ni mon père, ni ma
mère, ni mon frère, ni ma sœur, ni mon amant, ni ma
maîtresse, ni mon mari, ni ma femme. Il est quelquefois cela, mais en tant qu'ami il est plus que tout cela.

Il est avant tout un autre qui me confirme dans mon
altérité. Nous n'avons pas obligatoirement la même foi,
les mêmes pensées, les mêmes désirs, et c'est tant
mieux ; c'est là l'occasion d'un échange qui ne conduit

pas nécessairement au conflit ou à l'affrontement. Il est aussi mon égal, il me confirme dans mon identité. Il ne peut pas y avoir d'amitié entre un maître et un esclave, entre un patron et un subordonné, à moins qu'ils ne soient capables d'oublier leurs fonctions et leurs rôles.

L'amour amitié est encore un « amour durable » et s'il ne brûle pas de tous les feux (d'artifice) de la passion, il est la braise qui demeure sous la cendre, il résiste au temps et les couples dans lesquels ne veille pas cette braise ne font pas long feu.

Si l'amitié est une des formes les plus hautes de l'amour que nous puissions connaître en cette vie, ce n'est pas encore l'*agapè*, l'amour inconditionnel (sans attente). L'amitié est attente d'un échange, d'une relation dans laquelle chacun doit donner sa part. On attend de son ami qu'il nous comprenne ou, s'il ne le peut, qu'il cherche au moins à comprendre, ou qui accepte, qui nous accepte dans notre différence...

Lorsque Gabriel Marcel parlait du mariage comme étant l'espace qui rend possible l'aveu, la possibilité de s'avouer et de se montrer à l'autre tel que l'on est, dans ses bons et mauvais profils, dans ses ombres et ses lumières, ne parlait-il pas de l'amitié ? Tant il est vrai qu'il ne faut pas se montrer nu devant n'importe qui, devant quelqu'un qui en profiterait pour affirmer ses besoins de domination et de puissance.

Il ne faut se montrer nu, se montrer tel que l'on est, s'avouer comme à un autre soi-même nos grandeurs et nos faiblesses, que devant l'amour et pas devant n'importe quel amour. L'amoureux ou la passionnée supportent difficilement les aveux de faiblesse de l'aimé(e), seul l'ami est capable de nous accueillir non pas comme nous aimerions être, mais tels que nous sommes. Il n'est pas là pour nous confirmer dans nos illusions (le flatteur, le faux ami) mais dans notre réalité.

Il y a encore une autre forme de *philia* : la *philia xénikè*, l'amour hospitalité.

On parle peu de cette forme d'amour et pourtant dans certaines cultures, c'est ce type d'amour qui témoigne du plus haut degré de civilisation : l'amour et l'accueil de l'étranger. Dans cet amour, on accède à cette qualité déjà bien développée dans les différentes formes d'amitié déjà évoquées qu'est l'amour de l'autre en tant qu'autre, que je reconnais et que je respecte dans son étrangeté, dans ce qu'il y a en lui d'inconnu et d'inconnaissable. Accueillir cet autre, c'est d'une certaine façon accueillir le Tout Autre, et cela suppose un certain rapport à la transcendance, cela suppose aussi une identité forte et une sécurité personnelle bien affirmée car on ne peut accueillir l'autre que si on est bien soi-même.

On attend sans doute de cet étranger qu'il respecte nos lois et nos coutumes et qu'il apprécie notre hospitalité et que, s'il ne peut pas nous la rendre, au moins qu'il nous en remercie, mais on s'approche dans cet amour de l'étranger de l'amour désintéressé, qui donne, qui accueille sans rien attendre en retour.

Storgè, harmonia

Jusqu'ici l'amour était conditionné par notre relation avec un autre extérieur ; à ce niveau de l'échelle, l'amour n'est pas seulement conditionné par cette relation, il est une qualité intrinsèque à la personne. La tendresse et la bonté sont des qualités internes qui affectent et transforment le sujet qui les manifeste, mais aussi les êtres et les choses qui l'entourent.

Quand on parle d'amour, on peut se demander si le problème est d'être aimé, de se sentir aimé, ou d'aimer, d'être capable d'amour.

L'art d'aimer, est-ce savoir comment être aimé, être aimable ? Ou est-ce l'art de devenir « aimant » ?

L'amour est-il un problème d'objet : qu'est-ce qui vaut la peine d'être aimé ? Ou est-il un problème de faculté : comment aimer (ceux que je rencontre et tout ce qui m'arrive) ?

Est-ce trouver le bon objet à aimer ? Le bel objet d'amour et de désir ? Ou est-ce retrouver l'usage de cette fonction, de cette faculté d'aimer ? Capacité qui subsiste quelles que soient les circonstances extérieures et après le départ ou la disparition des êtres aimés.

Il ne s'agit plus alors d'un amour dépendant d'une relation, mais d'un amour considéré comme un « état d'être » ou un « état de conscience ».

L'amour est alors un rayonnement de l'être profond de la personne, il se manifeste comme une tendresse infinie à l'égard de tous les êtres. Cette notion de tendresse est ainsi une forme de compassion moins abstraite, encore « personnalisée », qui s'adresse à l'autre dans ses dimensions les plus charnelles et les respecte. On retrouve là les qualités de l'amitié, mais avec une ouverture qui n'est pas seulement centrée sur l'autre mais s'adresse à tout son environnement. Il y a quelque chose de solaire dans la tendresse et la bonté, c'est comme le dit l'Évangile « un soleil qui rayonne sur les méchants et sur les bons, qui brille sur les justes et les injustes ».

« Ayez un soleil en vous-même ! » C'est une parole

commune au Christ et au Bouddha. Il ne s'agit pas seulement de poser des actes d'amour, mais d'être amour, et c'est dans le rayonnement d'une telle bonté que les êtres peuvent exister, croître et s'épanouir.

C'est ainsi que les êtres bons, rayonnant de cet Amour qui ne leur appartient pas mais qui les traverse et les habite, peuvent être sources d'harmonie.

Lorsque deux êtres aimants dans le sens de *storgè* s'unissent, c'est l'harmonie même du ciel et de la terre qu'ils rétablissent, ce qui n'est pas toujours le cas quand ce sont deux personnes follement amoureuses l'une de l'autre qui s'unissent (*pathè, mania, pothos*).

Cette vie d'harmonie est plus familière aux Orientaux (particulièrement à la Chine) pour qui l'amour est plus un niveau de conscience à atteindre, qu'une relation à entretenir : « La vie du mari et de la femme représente le mélange harmonieux du yin et du yang, elle établit la communion de l'homme avec les esprits ; elle réaffirme l'immense portée du ciel et de la terre et le grand ordre des relations humaines. C'est pourquoi le livre des rites honore le rapport de l'homme et de la femme et le livre des odes célèbre l'union sexuelle de l'homme et de son épouse », écrit Robert Van Gulik dans *La Vie sexuelle dans la Chine ancienne*.

La dimension sexuelle, tout comme la dimension émotive et affective ne sont pas exclues de cette voie de l'amour tendresse et harmonie, elles sont replacées à leur niveau dans un ensemble plus vaste, moins « égoïque » ou égocentré, elles n'entravent plus le développement du sujet vers la plénitude de compassion dont il est capable.

L'Amour n'est pas seulement rayonnement de l'Être, partage d'une plénitude intérieure, soleil qui brille sur les méchants et sur les bons, mais aussi soleil qui agit pour les méchants et pour les bons. La compassion est cette bonté en actes, pas en paroles ou en rayonnement seulement, elle est cette plus haute preuve de tendresse qu'on appelle encore le dévouement. Jésus l'Enseigneur ne se présente jamais comme un maître, ou comme le détenteur d'un pouvoir, mais comme le Serviteur : « Vous m'appelez Maître et Seigneur et vous avez raison, je le suis, mais je suis au milieu de vous comme celui qui sert. »

« Il y a plus de joie à donner qu'à recevoir, à servir qu'à être servi » : ces paroles nous rappellent qu'avec *eunoia* nous ne sommes plus du côté de la soif, mais du côté de la source ; nous ne sommes plus du côté du besoin et de la demande, ou du désir, mais du côté du don, du côté de ce qui se donne, dans la donation même de nos actes.

Les autres ne sont plus à notre service, ils ne sont plus là pour combler nos manques, ils sont là pour que nous les aimions tels qu'ils sont et quelles que soient les circonstances.

Servir, ce n'est pas être servile (derrière toute forme de servilité, il y a une attente, que ce soit de récompense ou de reconnaissance).

Mais servir comme seuls les maîtres savent servir, sans ostentation ni fausse humilité, en toute liberté.

L'Amour est le seul trésor qui augmente quand on le dépense. Cette générosité, cette compassion à l'égard de tous les êtres vivants, ne fait qu'exprimer le don qui est le fond même de l'être de ceux qu'on appelle des

« serviteurs ». Ils préfèrent ce titre à ceux de maître, de sage, ou de saint qui risquent de les enfermer dans une image où ils seront idolâtrés.

Aimer, servir, c'est dépenser son image, ce qui est la meilleure façon de la dépasser. Être au service de la vie et de l'amour, inconditionnellement, agir à partir du meilleur de soi-même, « choisir la meilleure part », c'est sans doute l'unique nécessaire pour nous approcher de la béatitude des deux derniers barreaux de notre échelle ; béatitude qui ne sera sans doute jamais « béate » et sans souffrances, car aujourd'hui comme hier « l'Amour n'est toujours pas aimé ».

Charis, agapè

Nous nous rapprochons ici de ce que les mots ne peuvent dire, car s'il n'y a pas de mot pour dire sa plus grande douleur, il n'y a pas de mot non plus pour dire sa plus grande joie.

Ceux qui ont fait l'expérience de cette *charis*, qui sera traduite en latin par *caritas* et en français par charité, savent que cela n'a rien à voir avec la joie de faire l'aumône qu'évoque pour nous maintenant le mot « charité ».

À ce propos, on oublie que faire l'aumône n'est que justice : celui qui a donné à celui qui n'a pas, et ce n'est pas seulement faire du bien à l'autre, c'est se faire du bien à soi-même, ce minimum de générosité est aussi le minimum de la santé de l'âme et du cœur.

La *charis* est plus que cela, c'est donner et se donner avec joie ; l'ego, mes intérêts, mes désirs, mes demandes ne sont plus un obstacle, ils sont débordés par la puissance d'un amour qui me vient d'ailleurs, qui m'est donné gratuitement (« gratuit » et « grâce » ont la même étymologie) et qui se donne gratuitement.

C'est ce qu'on appelle parfois « état de grâce ». Tout est simple, l'amour coule de source, il se nourrit même des obstacles et des oppositions qu'il rencontre ; cet amour, les chrétiens l'appellent Dieu.

L'Amour (*agapè*) étant le seul Dieu qui ne soit pas une idole, on ne peut pas l'« avoir », on ne le « possède » qu'en le donnant.

Cet amour est un Autre en nous, une autre conscience, un tout autre amour que tous ceux que nous avons connus précédemment et qu'on ne peut comparer à rien. C'est en ce sens qu'il est saint (*kadesh* en hébreu veut dire incomparable, qui ne ressemble à rien de ce qui existe). Cet amour ne détruit rien, ni l'enfant en nous avec ses besoins, ni l'adolescent avec ses demandes, ni l'adulte avec ses désirs, mais il nous rend libres de toutes les formes d'amour que nous avions prises pour l'Amour.

À ce niveau de conscience, amour et liberté s'embrassent, il n'y a plus de dualité, l'homme est ouvert dans toutes les dimensions de son être : la hauteur, la largeur, la profondeur. Il demeure dans l'Ouvert ; une porte, des bras se sont ouverts en lui et nul ne les ferme...

Dans cet amour humain gratuit et inconditionnel se révèle un Être qui est *agapè*, non un acte pur d'exister, un moteur immobile, mais un sujet aimant, ce qui ouvre l'Être... Faut-il encore développer, comme le font certains philosophes et phénoménologues contemporains (Michel Henry, Jean-Luc Marion), les conséquences de ce passage (de cette Pâque) d'une métaphysique de l'Être à une métaphysique de l'*agapè*,

dépassement des ontothéologies non vers l'insondable
vacuité, mais vers les abîmes du Don ?

Le « Je suis » de l'amour (*agapè*)
n'est pas un étant dans lequel « il y a » de l'être
un étant confirmé
par l'« il y a » de l'Être
ou par le fait que je puisse en douter
ou le penser.
L'acquiescement à cet « il y a »
me confirme comme objet
mais à quoi bon ? bon à quoi ?
pour quoi ? pour qui
je suis ?
Comment puis-je être si je ne suis aimé ?
pour qu'il y ait être
il faut de l'Être,
une première donation.
« Je suis » est un donné :
la reconnaissance de ce qui me donne l'être,
je ne suis que par un ailleurs
un autre qui me fait être
ce que je suis
et ce que je suis
n'est pas seulement un étant
dans lequel il y a de l'être,
mais un être dans
lequel il y a du don.
Le Don qui le fait être
et qui le rend lui-même
capable de Don
capable d'aimer le premier.
Si Dieu il y a,

c'est qu'antécédent à l'être
il y a don de l'Être.
Qu'est-ce qui résiste à l'épreuve
de la vanité,
de la vacuité de l'être ?

Le Bouddha a vécu cette épreuve, il a fait l'expérience de la vanité de toutes choses et il pouvait déclarer : il n'y a pas de soi, il n'y a pas d'Être (pas de Dieu).

Mais si l'étant n'est pas un « il y a de l'Être », si l'étant est un être aimé, une gratuité (grâce), une donation, cette expérience nous conduit dans la proximité du Don (de la gratuité – de la grâce) qui précède l'Être, et c'est de ce pressentiment que s'est éveillée sa béatitude, et peut-être la nôtre.

> *« Bien-aimés,*
> *aimons-nous les uns les autres*
> *puisque l'amour est de Dieu*
> *et que quiconque aime*
> *est né de Dieu et connaît Dieu.*
> *Celui qui n'aime pas n'a pas connu Dieu*
> *car Dieu est Amour* (agapè). »

1 Jean 3,7-8

> *« Bien-aimés,*
> *dès maintenant nous sommes enfants de Dieu*
> *et ce que nous serons n'a pas encore été manifesté.*
> *Nous savons que lors de cette manifestation*
> *nous lui serons semblables parce nous le verrons*
> *tel qu'Il Est. »*

1 Jean 3,1-2

Nous connaîtrons la réalité telle qu'elle est, et non telle que nous la concevons dans nos limites, nous aimerons comme l'Amour seul sait aimer.

Mais cet Amour aujourd'hui, c'est à tous les niveaux de notre échelle que nous pouvons le vivre.

Introduire un peu plus de conscience, de liberté et d'*agapè* dans nos besoins, nos demandes et nos désirs, dans nos passions et nos amitiés. Introduire de l'Ouvert, c'est-à-dire de l'espace et de la légèreté dans tous nos amours.

L'« insoutenable légèreté de l'Être », l'incomparable liberté de l'Amour, car même la mort ne pourra pas nous enlever ce que nous avons donné.

Celui qui donne sa vie,
nul ne peut la lui prendre.
Il est déjà ressuscité,
il est l'Amour même, *agapè*, Passant – Passeur
qui se donne, donation de l'Être...

« Pierre, m'aimes-tu ?

– Seigneur, tu sais bien de quel amour je suis capable, une échelle est dressée entre nous, toute ma vie pour tenter de te rejoindre.

– Tandis que tu montes ton échelle, n'oublie pas que je descends...

Je suis là où tu es
J'aime là où tu aimes. »

De l'amour qui demande
à l'amour qui donne

« Pierre, m'aimes-tu ? (agapè)
– Oui, Seigneur, tu sais toute l'amitié que j'ai pour toi (philia). »

Jean 21, 25

La question est bien souvent : comment m'aimes-tu ? Mais se demande-t-on : comment j'aime ? comment je t'aime ? Dans l'un et l'autre cas, savons-nous de quel amour nous parlons ? De quel amour aimons-nous ? Dans le dialogue entre Pierre et Jésus, Pierre répond en termes de *philia* à Jésus qui lui demande s'il l'aime en termes d'*agapè*. Ils parlent d'amour, mais ils ne parlent pas du même amour.

L'amour, et comment il se nomme, dépend de celui, ou celle, qui le vit et de celui, ou celle, à qui il s'adresse. À la différence de l'amour que l'on éprouve pour le soleil, le chocolat ou son chat, l'amour humain a toute une palette de couleurs pour se vivre et s'exprimer, lesquelles forment un tableau qui varie d'une personne à l'autre, et pour la même personne d'un moment à l'autre de sa vie – on n'aime pas son amant comme son enfant, à vingt ans comme à quarante ou soixante. Des couleurs, on pourrait dire aussi des notes de musique qui forment une mélodie propre à chaque relation, à chaque instant de la relation. La richesse, la tonalité, l'intensité des sentiments tiennent dans la richesse, la tonalité, l'intensité de la relation. L'amour n'a de sens que dans un « toi » et « moi ». Apprendre à aimer, c'est apprendre à *t*'aimer.

Il y a toujours un « toi » dans l'amour. Le « toi » est parfois absent, encore inconnu ou bien invisible, désincarné, mais il y a un « toi » à qui l'amour s'adresse. Un « toi » qui permet à la soif de *se désaltérer*, de mettre de l'autre dans sa pensée, son regard, sa parole. Un « toi » qui met des limites face à une demande illimitée, du « fini » face à une attente infinie, une réalité face à un idéal d'amour qui assoiffe plus qu'il n'assouvit la soif. Un « tu » qui fait de toi et pas d'un autre celui ou celle que j'aime. Un « toi » qui fait de toi un choix.

Tant que « toi », je ne sais pas qui tu es, il est difficile de savoir comment je t'aime. Il est possible de dire comment je *pourrais* t'aimer, de quelle façon j'*aimerais* t'aimer, ce que je pourrais attendre de ton amour et comment j'y répondrais. Mais je ne peux pas savoir comment je t'aime. Je ne peux pas savoir comment mon amour, parce que c'est toi, tel que tu es, prend telle forme et non telle autre. Il est certain qu'un autre, je l'aimerais autrement, et un troisième aussi... à l'infini. Je ne porte pas en moi qu'une seule forme d'amour. Même si j'ai *ma* façon d'aimer.

Ma façon d'aimer est bien particulière, mais elle comporte bien des façons d'aimer. L'adulte que je suis est encore un enfant, mais il a aussi déjà vécu, autrement aimé, fait l'expérience d'autres « toi » qui m'ont façonné et fait ce que je suis. À commencer par mes parents. Qui que tu sois, je t'imposerai l'amour que j'ai reçu et celui que je n'ai pas eu. Tu leur ressembleras, même si je t'ai choisi différent. Ou je ferai de telle sorte que tu te comportes comme mon père, comme ma mère, même si ce n'est pas mon désir. C'est ainsi. Le jour où tu m'as rencontré, où je t'ai rencontré, une histoire commence, mais deux histoires se rencontrent. Deux histoires se racontent. Deux histoires qui ne sont pas les mêmes. Déjà deux « je t'aime » qui prennent des formes différentes, deux « je t'aime » qui sont ma façon de t'aimer et ta façon de m'aimer. Deux soifs qui se rencontrent.

Quand tu me dis que tu m'aimes, quand je te dis que je t'aime, nous ne disons pas la même chose. Aussi, il n'est pas toujours facile de nous entendre. L'amour ne serait-il pas de nous mettre à l'écoute, l'un et l'autre, de cet amour qui nous rapproche et nous différencie ? Je veux apprendre ce que tu me dis quand tu me dis « je t'aime », et je veux déjà apprendre pour moi-même ce que je dis quand je dis « je t'aime ». Avant de te le faire entendre.

L'amour n'est pas une leçon de choses. Il se vit, bien plus qu'il ne se raconte, et il n'a pas toujours besoin d'être bien compris pour bien se vivre. L'amour a bien d'autres mots que ceux d'une pensée en souffrance qui cherche à s'apaiser, par des mots. L'amour a son langage, celui du cœur et du corps. Chaque histoire d'amour, sa petite musique, de jour et de nuit.

Qu'importe comment je t'aime, si je t'aime. D'autant que je ne saurai jamais pourquoi je t'aime. « J'ai aimé beaucoup de femmes dans ma vie. L'une pour sa compagnie, j'aimais parler avec elle, l'autre pour ses jambes et le désir qu'elles m'inspiraient, une autre encore pour sa cuisine, et le bonheur d'être à sa table.

Mais elle, ma femme, quand je l'ai rencontrée, je ne sais pas pourquoi je l'ai tout de suite aimée, et je l'aime encore. »

Je t'aime, et il importe au fond peu de savoir pourquoi je t'aime. Mais cela ne signifie pas que je ne puisse apprendre à mieux t'aimer. T'aimer n'est que le commencement d'une longue histoire ; t'aimer est nécessaire mais pas suffisant pour que cette histoire soit belle. Je peux t'aimer, mais mal t'aimer et te faire mal. Je peux t'aimer et me faire mal à travers toi, car je ne te comprends pas ou je me fais mal comprendre de toi. Je ne connais de l'amour que celui que j'ai vécu, bien ou mal, bien et mal. J'apprends avec toi à savoir ce que c'est qu'un amour qui se vit bien.

J'apprends à t'aimer ; un « je t'aime » qui s'adresse à toi, et qui n'est pas toujours répétition de mes douleurs passées, continuité des besoins du bébé que j'ai été – et que je suis encore. Un « je t'aime » qui va évoluer de la *porneia* – l'amour besoin du petit bébé – à l'*agapè*, – l'amour qui se donne, qui est tout entier don d'amour – en passant par les autres barreaux de l'échelle. Un « je t'aime » qui avec le temps s'allège et se densifie, qui grandit et nous fait grandir, qui en même temps qu'il mûrit est une occasion pour toi et moi, le toi et moi de la relation, de mûrir.

« L'amour, c'est l'occasion unique de mûrir, de prendre forme, de devenir soi-même un monde, pour l'amour de l'être aimé. C'est une haute exigence, une ambition sans limites, qui fait de celui qui aime un élu qu'appelle le large », écrit Rilke.

Encore faut-il vouloir apprendre, accepter de plonger au fond du puits pour aller à la rencontre de ma source, et alimenter d'eau vive l'amour que je te porte. En descendant dans le puits, je monte vers les plus hauts barreaux de l'échelle : la lumière est au fond du puits, comme elle est en haut de l'échelle. Et aussi bien là qu'ailleurs, je te rejoins ; en touchant au plus profond de ma source, je suis de plus en plus proche de toi. En calmant ma soif, je peux enfin répondre à la tienne. En me libérant de mes douleurs pour être au plus près de la force d'amour qui est en moi, je peux enfin t'aimer d'un amour qui est libre. Être libre de t'aimer. D'un amour qui n'attend plus de toi l'infini, car cette source d'amour infini est en moi.

T'aimer, n'est-ce pas monter et descendre avec toi les différents barreaux de l'échelle ? « Tantôt je suis le bébé, tantôt c'est lui. Parfois je suis sa mère et parfois il est mon père. Et puis, c'est mon frère, mon ami, mon amant. » Et partager *en même temps* qu'un amour incarné un amour spirituel ? Le vivre *ensemble*, car si l'un de nous est en haut quand l'autre est en bas, ou que l'un attend de l'amitié de qui se trouve dans l'amour passion, on ne parle et surtout on ne vit pas le même amour, « on n'est pas sur la même longueur d'onde ». T'aimer, c'est te faire découvrir une façon d'aimer – un des barreaux de l'échelle – qui t'est inconnue ou mal connue et m'ouvrir grâce à toi à une autre façon d'aimer que celle que je connais. T'aimer, c'est être solidaire de tes désirs tout en écoutant les miens. T'aimer c'est douter de la façon dont je sais ou non t'aimer, mais non de l'amour qui nous unit. Ceux qui se posent trop de questions sur la relation en oublient de la vivre : ils ne sont ni en haut ni en bas de l'échelle. Sont-ils même dans l'échelle ?

T'aimer, c'est *être avec toi*.

Être avec moi-même avant d'être avec toi. Être vivant et partager ma vie, la vie, avec toi.

Avec toi : solidaire, complice, confiant, attentif, attentionné...

Toi, parce que c'est toi et que je suis respectueux de ce que tu es. Je t'aime pour ce que tu es. J'ai appris à t'aimer dans ta singularité, ta façon unique d'être au monde. Ta façon unique d'aimer. De m'aimer. Et d'accueillir mon amour.

J'aime l'enfant que tu es et l'enfant que je suis avec toi, j'aime l'adolescent(e) passionné(e) que tu es et l'adolescent(e) qui revit à tes côtés, j'aime l'amant(e), j'aime l'ami(e), j'aime la grâce qui nous unit, j'aime ce que tu n'aimes pas de toi, et j'aime le beau de toi que tu ignores.

Et chaque jour, j'apprends à mieux t'aimer.

Porneia

« Tu dis que tu aimes les fleurs,
tu les coupes.
Tu dis que tu aimes les poissons,
tu les manges.
Tu dis que tu aimes les oiseaux,
tu les mets en cage.
Quand tu me dis "Je t'aime",
j'ai peur... »

Jacques Prévert

Quand tu me dis que tu m'aimes, que vas-tu faire de moi ? J'ai peur que tu me mettes en cage et que je ne puisse plus m'envoler. J'ai peur que tu n'enfermes ma vie dans un bocal : l'espace réduit de tes besoins et de ton propre monde. J'ai peur que tu ne me coupes de mes racines, de mes vrais désirs, de mes élans de vie. J'ai peur que tu ne me manges ; que ta faim me dévore, me prenne ma vie, mes rêves, mes espoirs.

Quand tu me dis que tu m'aimes, j'ai peur de ta propre peur de n'être pas aimé, de tes besoins, de tes manques. De ta voracité. D'être avalé dans l'urgence et l'impatience de ton désir. Étouffé, anéanti par la violence de tes appétits. Tout, tout de suite, sinon rien.

« Si je m'imagine enfant dans les bras de ma mère, je n'avais ni bras ni jambes. Pieds et mains liés, je n'étais plus rien si ce n'est un objet dont un autre faisait ce qui lui plaisait. » Trop touché ou pas assez, avec douceur ou sans respect, gavé par trop d'amour ou laissé à l'abandon dans une faim jamais rassasiée, mon corps n'a pas oublié. Trop aimé, mal aimé, parfois mal aimé d'avoir été trop aimé, comment ne pas être marqué à jamais de tous ces souvenirs enfouis ? Si j'aime comme un enfant, j'ai peur d'être aimé mais aussi d'aimer comme je l'ai été. J'ai peur d'être dévoré car je ne sais moi-même que dévorer. Le petit ogre a peur du grand ogre.

Quand tu me dis que tu m'aimes, je me demande comment tu m'aimes, comment tu vas m'aimer. Ne vais-je pas revivre ce qu'enfant j'ai déjà vécu : me sentir si dépendant, livré entre les mains de ceux qui disent m'aimer ; et certainement m'aiment-ils, mais comment ? Plus ou moins « bien » : on n'est pas toujours « entre de bonnes mains ». Il est des mains qui n'ont pas appris à aimer, à caresser. Des mains trop légères ou trop pressantes, des mains distantes, absentes, qui ne font que passer, occupées à d'autres pensées, préoccupées par d'autres tâches, d'autres désirs. Des mains qui « ne sont pas là » et donnent à qui est ainsi touché la sensation de ne pas être là, de ne pas exister. Si, bébé, je n'existe pas pour toi, comment me sentir exister ? Même très aimé, il est un toucher où je me sens nié. Ce n'est pas ainsi que j'ai besoin d'être cajolé, dorloté, caressé.

Certains, dans leur don d'amour, m'ont pris « comme du bon pain » : ils m'aimaient avec tant d'ardeur que j'étouffais sous leurs baisers. « Tu es si mignon, j'ai envie de te manger », « Tu es belle à croquer ». On me lisait l'histoire du *Petit Chaperon rouge* et j'avais peur d'être mangé par le « grand méchant loup ». « Petit », je me sentais menacé par l'amour des « grands » ; la peur est là, encore, de me faire avaler par ton amour, anéantir par toi. Toi qui dis m'aimer.

J'avais besoin de ma mère et de mon père quand j'étais petit ; mais eux aussi avaient besoin de moi. Dans l'amour qu'ils me donnaient il y avait une demande. « Mes parents me portaient un amour exclusif, étouffant, attendant de moi l'amour qu'ils n'avaient pas reçu, ou d'être rassurés de leurs angoisses et inquiétudes – les concernant et me concernant. Je crains maintenant qui pourrait me serrer trop fort dans ses bras et envahir ma vie, mon espace de vie, de ses peurs et de son anxiété. » Même si je te sens doux, attentif et d'une patience infinie, je porte encore en moi la demande tout aussi infinie qui m'a été faite et je crains d'être enfermé dans une attente à laquelle je ne pourrai jamais répondre. Et si je n'y réponds pas, la crainte de n'être pas aimé.

« Je ne veux pas être dévorante comme ma mère. J'absorbe les autres et je les empêche de vivre ; ça déborde en moi. Quand j'aime, j'ai envie d'embrasser, de serrer de toutes mes forces ; c'est trop fort. » Ne suis-je pas moi-même comme ma mère, dans une demande dévorante, dans une voracité jamais rassasiée de ce qui m'est donné ? Je suis boulimique de ton amour ; et quand l'amour me manque, je mange, je bois, je fume, je tète un sein de remplacement. Et je me sens alors si mal que je te rejette, avec violence, comme je m'étais précipité sur tout ce qu'il m'était possible d'engloutir, pour me remplir. Je te prends, puis je te « vomis ».

« Elle est douce, charmante, puis soudain elle disparaît et me fuit comme si j'étais le diable. » De même, je m'approche de toi, je recherche ton intimité, ta douceur, ta chaleur ; puis je m'éloigne, comme si j'avais touché le feu et que c'était trop dangereux. J'instaure une distance entre toi et moi : du silence, de l'absence, des retards à être là, à te répondre, à te dire mon amour, mais aussi ce que j'attends de ton amour. Je m'isole. Mon corps brûle d'aller vers toi, mais il se retient.

Si ma mère était distante, mon corps est froid, il me faut beaucoup de temps et d'amour pour apprendre à me réchauffer. Et si je garde une distance, c'est parce que je ne connais d'autre lien que la distance. Ce qui ne m'empêche pas d'en souffrir encore et encore, dès que je la ressens chez celui ou celle qui m'aime. Mais elle m'est familière et, comme tout ce qui est connu, elle me rassure. Ainsi je ne vais pas vers toi quand tu viens vers moi. Mais si tu insistes, avec le temps, je me laisse aimer, je te laisse m'aimer. J'apprends à être aimé.

Je ne connais d'autre comportement que celui qui m'a été donné de vivre, dès mon plus jeune âge. Même si je m'en défends, si je lutte de toutes mes forces pour ne pas répéter à mon tour ce qui m'a fait souffrir, mes besoins sont là, ma soif présente et intense, en miroir

161

de ce que j'ai vécu ; je ne sais faire autrement que ce que je connais. Avec mon cœur et ma chair. Au plus profond de ma chair. Seuls le temps, l'expérience, et la conscience de mes actes, peuvent m'aider à agir autrement. À t'aimer autrement.

Quand je t'aime comme l'enfant que j'étais et qui est toujours en moi, mes sentiments, mes actes sont régis par mon enfance meurtrie, les douleurs dont je ne suis pas guéri. Mes choix, mes choix de vie, ma vie ne m'appartiennent pas. Je crois t'aimer, mais est-ce bien toi que j'aime ? Et toi, tel que je t'ai choisi, peux-tu m'aimer ?

Je crois trouver de l'amour là où je ne cherche que réparation, réassurance, consolation. Je vis dans le leurre de vouloir ainsi combler mes manques et mes frustrations. « Celui » qui me domine et dirige ma vie est l'enfant que je porte en moi. Parfois le bébé, le tout petit bébé. Je ne cesse d'être un bébé inquiet et malheureux, attentif car totalement dépendant des moindres signes d'attention qui me sont donnés, ne voyant chez toi que la promesse d'être soulagé d'une tension exacerbée qui occupe tout mon corps et chacune de mes pensées. Le bébé que je suis attend tout de toi, mais d'un « toi » indifférencié. Un « toi » qui n'a de visage que le bon que tu peux me donner ou le manque consécutif à ce que tu ne donnes pas. Le bébé en moi ne voit rien si ce n'est ce qui lui est ou non donné.

Le bébé se nourrit de l'autre : le sein est son principal horizon – ou le biberon. Comment ne pas en être totalement dépendant ? Et cette attente ne connaît pas les nuances, elle ne sait que faire de l'absence : le sein est là ou n'est pas là. Quand j'aime comme un enfant, comme un bébé, tu es un objet qui sait pourvoir à mes besoins ou s'en montre incapable. « Je l'aime : il est tellement gentil, il ne cesse de me dire qu'il me trouve belle, qu'il est heureux avec moi. Il est prêt à tout pour me faire plaisir », « Je l'aime : elle m'aime comme personne ne m'a jamais aimé ». Je t'aime, car j'aime l'amour que tu me donnes.

Si l'enfant que j'étais ne s'est pas senti aimé, il va chercher cet amour qu'il n'a pas reçu. Il va *donner* des sourires, des câlins ; mais ce qu'il donne avec tant de générosité, ce sont ses attentes, ses demandes d'amour. « J'ai choisi de t'aimer, par conséquent, j'attends de toi que tu m'aimes. » Le choix de t'aimer, toi et pas un autre, n'est-ce pas le plus beau cadeau qui soit ? Être là à désirer que tu sois là, c'est un don que je te fais ; je me donne tout entier à toi, je m'abandonne, de tout mon corps, de toute mon âme, à ton amour ; n'es-tu pas alors dans le devoir de m'aimer ? Et ne suis-je pas dans le droit de te dire ensuite si je suis insatisfait : « Vois, je t'ai tout donné et je n'ai rien reçu » ? Le droit de me lamenter, de me plaindre, de réclamer toujours plus et d'affirmer : « Puisque c'est ainsi, je ne donnerai plus rien. » L'enfant malheureux que j'étais, et que je suis toujours, n'a pas conscience de ce qui lui est donné, et moins encore de ce qu'il peut donner.

Adulte, je revisite mon passé à la lumière d'un présent insatisfait. Je me revois enfant, victime d'une profonde injustice, mal aimé, abandonné. Et j'accumule au fil du temps les marques d'amour et les attentions que j'aurais dû recevoir, mettant l'être aimé, celui que je connais ou que je vais rencontrer, dans la situation délicate d'avoir à me consoler de chagrins qu'il ignore et à réparer des dommages dont il n'a aucune idée. Aime-moi comme je n'ai jamais été aimé.

Combien faut-il de temps pour que le bébé qui est en moi devienne plus mature : capable de lucidité quant à l'amour dont il a manqué et d'acceptation face à cet amour manquant afin de ne pas le demander à l'homme ou la femme que je vais rencontrer ? De ne pas confondre un perpétuel besoin d'être rassuré avec de l'amour : de sortir de la dépendance de mon propre besoin et prendre conscience de ce qui a pu dans mon enfance engendrer une telle dépendance ? Peut-être n'ai-je connu qu'une relation d'objet et je répète à mon tour une relation d'objet. Je manipule comme j'ai été manipulé. Tant que je ne suis pas sujet, je ne peux considérer l'autre comme un sujet.

On ne peut encore à ce stade parler d'amour. C'est davantage un instinct de survie, une pulsion. Un besoin vécu comme une nécessité de se nourrir de l'autre : consommer de la nourriture, mais aussi du réconfort, de la reconnaissance. L'enfant cherche la mère, le père qu'il n'a pas eu, mais il peut être aussi pour l'autre, l'homme ou la femme qu'il rencontre, le père ou la mère qu'il aurait aimé avoir. « J'aime l'homme qu'il est, avec sa part d'enfant. J'aime qu'il ait besoin de moi », « J'aime qu'elle reste une petite fille malgré ses allures de femme : j'aime qu'elle soit toute petite dans mes bras, fragile et abandonnée. Je me sens alors important. »

L'autre – le « bébé » dont nous sommes devenus la mère, le père –, dans sa soif de réparation, de reconnaissance, d'absolu, vient se désaltérer à notre source d'amour. Nous avons tant à donner ; il a tant à recevoir. Notre plaisir à offrir trouve son écho dans son bonheur à accueillir. Homme ou femme, nous sommes la mère nourricière : nous offrons notre ventre pour mieux l'accueillir et lui offrir les mets qu'il désire, notre regard pour qu'il puisse s'y réfléchir et contempler sa beauté, nos mains pour le caresser comme il ne l'a jamais été. Il n'est rien qui ne soit assez beau pour celui ou celle qui est devenu notre enfant : l'enfant de notre cœur.

Il se nourrit au meilleur de nous-mêmes ; il vient se servir de ce dont il a besoin – là où nous avons nous-mêmes besoin de « rendre service ». Et nous trouvons de la joie dans sa propre joie, la force dans ce qu'il nous prend. Jusqu'au jour où nous n'avons plus de force ; le corps s'affaiblit, la tête est vidée, les membres exsangues. Que s'est-il passé ?

« Comment peut-il avoir un sourire d'ange et me faire aussi mal ? Comment peut-il dire qu'il m'aime et se comporter comme il le fait ? » Comme le coup est cruel pour qui a nourri l'autre de toute sa force d'amour pour se voir un jour rejeté avec autant de violence et de haine.

Le choix d'amour de l'enfant qui est toujours présent en nous – un enfant qui a « trop » besoin d'être aimé – peut être un choix dangereux. Pour l'autre et pour lui-même : il fait mal et il se fait mal. Pour l'autre qu'il épuise de sa demande et quitte dès lors qu'il l'a vidé de sa substance nourricière. Un autre qu'il peut même haïr : « J'ai besoin de ce qu'elle me donne mais je la hais d'être capable d'aimer. Alors je veux me venger : détruire ce qu'elle est et que je ne suis pas. » Et un choix dangereux pour lui-même : dans sa vulnérabilité, il rencontre qui peut le détruire. Il choisit des relations dangereuses ou se met en situation de danger. « Il parlait si bien, me disait tout ce que j'avais envie d'entendre. J'étais heureuse car j'avais tellement envie de le croire. » Dans mon besoin d'être rassuré, je cherche à savoir si je te plais, mais je ne prends pas le temps de savoir qui tu es.

Ce que l'autre « met » dans la relation peut être bien différent de ce que j'attends. Si j'ai trop faim, je ne prends pas le temps de choisir les fruits sur l'étalage, je prends « ce qui vient ». Et je crois me nourrir d'un « fruit pourri » : je veux calmer ma faim par ce qui me « laisse sur ma faim ». Je prends pour du désir ce qui est encore un besoin. Et je pense que l'autre s'est servi de moi, alors que je me suis servi de lui : je ne l'ai pas choisi pour ce qu'il est, mais pour ce qu'il a ou prétend avoir : un avoir qui comble mon manque à être.

Dès lors que je prends conscience de mon manque et que je n'attends plus de l'autre qu'il vienne le combler, que je ne suis plus dans une relation d'objet – ni materné ni maternant – et que j'accepte l'idée que je puisse être aimable même si j'ai été mal aimé – pas comme je le voulais –, je commence ma vie d'adulte. Je suis dans un amour qui n'est pas subi mais qui s'apprend. J'évolue dans une relation où l'autre existe, et où je le reconnais dans son altérité, pour son bonheur et pour le mien.

L'enfant qui aime en nous se souvient de la façon dont il a été aimé. Il est parfois baigné de nostalgie et rêve d'être toujours et encore ce petit roi, cette petite reine, ce prince ou cette princesse qu'il a pu être dans le cœur et la vie de ses parents. Il reste cet adulte, dont on dit pour une femme qu'elle fait des « caprices de petite fille » – « Arrête de faire la petite fille » – et pour un homme qu'il est « encore un gamin » – « Sa façon d'être un enfant m'agace ». « On me dit souvent : "Arrête de te comporter comme un enfant", mais je n'en ai pas conscience. »

L'enfant angoissé et capricieux que nous sommes encore – capricieux parce que angoissé – n'est pas la part la plus consciente de nous-mêmes, capable de porter un regard lucide et intelligent sur nos faits et gestes. De ce fait, la part la plus aimante, la plus aimable, la plus épanouie : celle qui donne à vivre le plus de bonheur. Et devenir adulte n'est pas devenir sage, mais triste ; raisonnable, mais ayant perdu tout rêve et tout espoir. Devenir adulte, c'est devenir capable de vivre le bonheur que nous cherchons.

S'orienter vers un choix d'adulte, c'est aller vers toujours plus de lucidité, d'autonomie, de conscience. Évoluer d'un besoin subi et le plus souvent contrarié à un désir assumé et vécu, non dans un rêve mais dans la réalité. J'aime l'autre pour ce qu'il est, lui et pas un autre, non parce que le « je » du « je t'aime » est un « je » incomplet : un « je » d'enfant qui attend de l'autre qu'il lui donne vie. Un vide qui a besoin d'être rempli. Une soif qui cherche éperdument la source.

« Face au vide, on a besoin de passerelles. » La passerelle peut être un plaisir immédiat, à consommer sans attendre. Mais le vide qui s'ensuit n'en est-il pas encore plus grand ? Le rêve prend le pas sur la réalité, le rêve de tout ce qui pourrait être vécu. Les regards, les sourires, les paroles échangés sont autant de promesses d'un bonheur possible. Le souhait parfois, tout simplement, de voir l'autre qui me « résistait » succomber à mes charmes, preuve que je peux plaire, être aimé, aimable. Et après ? Après l'après. Mes pulsions comme celles de la conquête et de la séduction obéissent à mon besoin d'être rassuré.

Si je « consomme », le plaisir qui s'ensuit est un plaisir fugace. Nourritures corporelles ou psychiques : elles s'épuisent très vite. Sitôt rassuré, mon anxiété peut trouver dans les heures qui suivent de quoi s'alimenter à nouveau. « Elle ne m'a pas rappelé tout de suite. Je ne lui plais pas », « Il me dit qu'il est fatigué. J'en déduis qu'il ne veut pas me voir. Il ne m'aime pas. » La consommation est comme une drogue : elle demande à être répétée et ne satisfait que dans un bref délai. « Elle m'apportait tout ce dont j'avais besoin. Maintenant, j'ai envie d'autre chose. »

Si je ne suis plus dans la « consommation », mais dans la « communion », je suis en haut de l'échelle tout en restant l'enfant, le passionné, l'amoureux, l'ami. J'ai grandi et maintenant, il y a toi *et* moi, ouverts à une autre conscience de la relation. À une dimension d'éternité où tu es un être à part entière, comme je le suis. L'amour est notre guide, et non plus mes besoins et le manque de toi.

J'ai de l'appétit pour toi, mais l'enfant que je suis ne se joue pas de mes appétits, il joue, s'amuse, croque la vie. Sa faim est tendre, sa gourmandise ludique, sa sensualité libre et généreuse, ses élans respectueux. Le désir est sans besoin. L'amour est don.

> « J'ai faim de tes cheveux, de ta voix, de ta bouche,
> Sans manger je vais par les rues et je me tais,
> Sans le soutien du pain, et dès l'aube hors de moi
> Je cherche dans le jour le bruit d'eau de tes pas. »

> Pablo Neruda, *La Centaine d'amour*,
> « J'ai faim de toi ».

Qui m'eût dit qu'un jour ce serait sous tes traits que l'amour me toucherait ? Jamais je n'aurais cru pouvoir t'aimer autant, pouvoir aimer autant. Avec toi me voilà emportée dans un flot de sanglots et de rires et de larmes et à nouveau de rires. Suis-je devenue folle, ai-je perdu toute conscience et à ce point mon innocence que j'en sois rendue là, à te supplier, m'humilier, me soumettre à ta loi, n'attendre plus rien, si ce n'est toi ou ce qui vient de toi ?

Ma vie, c'est toi qui me la donnes et toi qui me la reprends. Qu'as-tu dans les mains que je n'aie d'autre désir que de les sentir contre moi, de sentir ta peau contre la mienne, ton souffle si proche que je respire à travers toi ? Je veux que jamais tu ne t'éloignes, car, tu le sais, j'en mourrais. Je préfère mourir que de vivre sans toi ; et je te préfère mort plutôt que tu vives sans moi.

C'est ainsi que je t'aime, quand je t'aime avec passion. C'est toi que je veux et je te veux tout à moi. Je ne veux rien d'autre que toi, près de moi, tout près, si près de moi que rien ne nous sépare, ni nos corps, ni nos pensées, ni nos désirs, ni notre amour. Je ne veux plus me nourrir qu'à ton sein, ne connaître d'autre paysage que la courbe de ton corps, ne me soumettre qu'à la violence de ton désir. Je veux que tu m'aimes comme je t'aime, avec la même intensité ; que tu voies le monde à travers moi, comme je vois le monde à travers toi. Que tu brûles comme je brûle. Tu es à moi, je ne suis qu'à toi.

« Quand il m'a dit : "Je ne serai rien que pour toi, tu ne seras rien que pour moi", alors j'ai dit oui, tout de suite. » La jouissance d'une fusion avec le sein maternel, l'unité retrouvée où l'on ne sait plus de nous deux qui est toi et qui est moi, je peux enfin la vivre ou la revivre avec toi. Et ce pour toujours. Plus rien ne nous séparera. « C'est moi pour toi, toi pour moi. »

Il n'est rien que j'aie envie de faire sans toi. Sans toi. Rien que de prononcer ces mots, les larmes me montent aux yeux. Ne me quitte pas.

Celui ou celle qui aime avec passion attend de l'autre un amour inconditionnel, total, absolu. L'amour n'est alors que souffrance : une souffrance qui se nourrit d'un désir de possession sans limites et d'une jalousie incessante concernant tout ce que l'autre vit. « Je ne supporte pas qu'elle regarde un autre homme. Mais je ne supporte pas non plus qu'un homme la regarde. » Possession et jalousie que rien ne peut calmer ; même l'autre présent et aimant, on doute de son amour. « Quand elle me dit qu'elle m'aime, je ne la crois pas. » Quand tu es là, déjà tu n'es plus là. Et tu es avec moi que tu me manques déjà.

« Quand il n'est pas là, il me manque ; c'est la preuve que je l'aime », « Si j'ai la peur au ventre, si je tremble, si je pense à elle jour et nuit au point de n'en plus dormir ni ne plus me nourrir, alors je sais que je l'aime », « Si je suis toujours là alors qu'elle me fait tant souffrir, c'est bien que je l'aime. » Est-ce parce que je souffre tant que je t'aime tant, ou parce que je t'aime à la folie que je suis devenu fou ? Je perds la raison.

> « J'aime. Ne pense pas qu'au moment où je t'aime,
> Innocente à mes yeux, je m'approuve moi-même,
> Ni que du fol amour qui nourrit ma raison,
> Ma lâche complaisance ait nourri le poison. »

> Racine, *Phèdre*, II, 5

La douleur est celle d'une demande affolée et désespérée face à un amour qui est refusé. Demande qui fait écho à une demande dans le passé déjà rejetée, niée, méconnue. Le bébé, l'enfant ont grandi, mais l'adolescent garde en mémoire un amour malheureux et ne sait pas penser l'amour autrement. « Ma mère ne me donnait jamais le bain, jamais de baiser, jamais de mot doux. Et quand je pleurais, elle menaçait de me punir, et si je me révoltais, les sanctions devenaient encore plus sévères. Ma peine s'est transformée en colère ; colère que j'ai fini par taire. Mais ma souffrance n'a jamais cessé. » Aimer, c'est souffrir, souffrir, c'est aimer. Je souffre donc je t'aime.

« Je lui ai tout donné, même la souffrance », a dit D'Annunzio à la Duse comme le cite Florence Montreynaud. Depuis que je te connais, je ne suis plus en paix. En ta présence, je suis le plus heureux des hommes, et puis un mot de toi, un mot de trop, un mot absent, un regard qui ne me voit pas, un sourire qui ne m'est pas adressé – à qui l'est-il, je préfère ne pas y penser, mais je ne peux m'empêcher d'y penser – et je suis en enfer. Que suis-je devenu à n'être que le jouet d'un malentendu ? Car je sais que le mal qui m'envahit, c'est moi, moi seul qui me le crée.

Qu'as-tu fait de moi, maudite sorcière qui me connais mieux que moi-même. Traîtresse, tu m'avais tant promis et j'ai voulu y croire. Mais tu étais si jeune, fantasque, éprise de liberté. Tu voulais vivre ta vie et je voulais te retenir près de moi. Tu es devenue de plus en plus triste et moi de plus en plus malheureux. Tu n'es plus celle que j'ai connue, rieuse, heureuse, aimante. Maintenant je pleure, et je te vois pleurer. Et quand tu ris, je ne ris plus. Quand je ris, tu ne ris plus.

Je me suis senti si jeune avec toi. J'avais trouvé la

force et la vitalité du jeune homme que je n'ai jamais été. Avec toi, j'avais vingt ans, même si je ne les ai plus depuis longtemps, et j'ai vieilli en un an plus que dans toute ma vie. Sans toi je ne suis plus rien, sans toi je meurs, sans toi je me hais. Toi seule peux m'apprendre à m'aimer.

« Quand je l'ai connue, j'avais le dégoût de moi. Elle m'a redonné la force d'aimer et l'illusion que je pouvais être aimé. » Celui ou celle qui aime avec passion attend de l'autre qu'il lui permette de s'aimer ; il ne s'aime pas. Il court alors dans des bras qui ne sont pas aimants, ou il se perd dans un amour impossible et douloureux. Si je m'aimais, je ne t'aimerais pas.

N'ai-je pas couru dans tes bras parce que je savais qu'ils me perdraient, que je m'y perdrais ? Ne me suis-je pas donné à toi, en sachant qu'un jour tu ne voudrais plus de moi ? Je te voulais, parce que tu me voulais, mais je me doutais bien qu'un jour je serais le jouet de ta volonté. Je ne serais plus moi, à cause de toi. Mais je continue à vouloir de toi. Je ne me comprends pas. Je t'aime, mais je m'en veux de t'aimer.

Dans la passion, on est comme un drogué, vite dépassé par ce que l'on croyait maîtriser. On ne s'appartient plus. Et si l'on croyait entrer par jeu dans la passion, on est vite le jouet de sa passion, l'objet de ses propres pulsions. Et l'objet des pulsions de l'autre. On veut lui appartenir et être tout pour lui. On n'est plus rien pour soi. Je t'aime et je me donne à toi. J'aime me donner à toi. Prends-moi.

Certains éprouvent un vif plaisir à s'abandonner : se donner à l'autre dans un mouvement d'abandon. Jusqu'au moment où ce sont eux-mêmes qu'ils abandonnent. Il leur était bon, un temps, de remettre entre les mains d'un autre un destin trop lourd à porter, de fuir ce qui leur procurait une sensation d'ennui et de désœuvrement, heureux d'apporter du piment à une vie trop monotone, installée et tranquille. Ils croyaient *vivre* enfin et être *libres*. « J'aime le sentiment que j'éprouve, les émotions, les sensations qui se libèrent, hors de tout cadre restrictif et limitatif. Je me sens si léger, oubliant mes responsabilités, une vie routinière faite de contraintes et de devoirs. » Avec toi, je revis.

Je suis le jeune homme, la jeune fille qui découvre la vie, mais je ne peux l'aimer qu'avec toi. J'ai la joie et l'innocence des fiancés. Mais aussi l'impatience et l'inconscience de l'adolescence. La folie, l'impulsion, la déraison. Le besoin de croire en l'absolu ; sinon rien. Je veux être libre ; mais ne suis-je pas aliéné à mon désir de liberté – libre par rapport à qui, à quoi ? – autant qu'à toi, qui es devenu ma liberté. Je ne suis libre qu'avec toi.

Quelle est donc cette liberté qui dépend d'un autre ? Il est difficile d'être libre. Vraiment libre : face à soi et sa destinée, en conscience de ses actes et de sa responsabilité. L'adolescent passionné veut se libérer de ses parents, des contraintes d'une vie trop « normale », pour mener une « vie de folie ». Mais que fait-il sinon vivre un amour sous sa forme la plus contraignante et aliénante ? Il remet son cœur, son corps, son esprit entre les mains d'un autre. Ses sentiments, ses désirs, ses pensées appartiennent à un autre que lui-même. Lequel doit décider de son bonheur et de sa vie. N'est-ce pas donner son âme au diable ? Le diable, qui n'est pas l'autre, mais lui-même. Quand on ne s'appartient plus, ne dit-on pas que l'on est *possédé* ? La passion, c'est donner à un autre la place de sa propre folie. Un autre qui n'existe pas si ce n'est dans le rôle qu'on lui donne. Et si on croit lui donner le beau rôle, en réalité, c'est le mauvais rôle. Aimer à la folie, passionnément, pas du tout...

Celui ou celle qui est vu à travers les yeux – les feux – de la passion n'est là que pour réparer de toutes les douleurs passées, en les faisant revivre. Il ou elle est l'écran sur lequel on projette l'histoire de toutes ses attentes et frustrations. Et qui devra supporter ensuite toute la violence des déceptions passées. Je te hais autant que je t'ai aimé.

Entre « je te veux » et « je t'en veux », on assiste à un glissement progressif, non du plaisir, mais de l'amour à la haine. « Je te veux tout à moi, rien qu'à moi » semble justifier des droits qui s'expriment avec rage, colère, et vont jusqu'à un désir de mort. « Je te possède et tu m'appartiens » devient « je possède tout ce qui t'appartient ». L'argent devient monnaie d'amour, plutôt monnaie d'un amour absent, mais vécu comme un dû. Donne-moi tout ce que tu ne me donnes plus.

Ainsi on peut exiger beaucoup d'un homme, d'une femme, qui n'éveille plus qu'un sentiment de rancœur, voire de mépris, par rancune de tous les abandons passés. Comme l'on peut donner beaucoup à celui ou celle pour qui l'on ne ressent ni désir ni plaisir, coupable de ne pas, ou plus, aimer comme il le faudrait – là encore en mémoire d'une absence d'amour coupable vis-à-vis d'une mère ou d'un père. Ces liens « passionnels » où tout sépare des êtres qui ne peuvent se séparer, n'est-ce pas un attachement, non à l'être aimé, mais à son propre passé ? Je « tiens » à toi, je suis « lié » à toi. Qu'est-ce qui me tient, quel est ce lien ?

Il est des esclavages auxquels on est très attaché.

L'esclavage du devoir : familial, social, culturel. Et certainement le plus fort de tous : l'esclavage de nos sentiments et de nos sens. On « aime » ses bourreaux, même si on s'en défend. Même si on sait combien il faudrait s'en *détacher*. « Cela fait si longtemps que j'aurais dû partir. Mais je ne peux pas. Certains me disent que je dois aimer souffrir ! Je ne crois pas. Mais j'ai l'espoir qu'un jour il change », « Je ne cesse de subir ses colères, sa mauvaise humeur, ses caprices. Et je reste. Je peux rencontrer des femmes douces et charmantes, mais c'est elle que je veux. »

Grandir, n'est-ce pas sortir d'une relation dominant-dominé : « Je te fuis, tu me suis ; tu me fuis, je te suis » ne perd-il pas sa raison d'être dès lors que l'on avance, sinon en âge, en maturité ? Dans l'impuissance à se sentir aimé et dans l'impuissance à aimer, on pense attirer celui ou celle qui *échappe* à notre amour en s'échappant soi-même ; mais pour mieux *être rattrapé* : « Je tourne le dos, comme un enfant qui boude, pensant que l'autre va venir vers moi, me supplier de revenir. » De même si l'autre fuit, on s'acharne à lui courir après. On court après quoi ? Après qui, de son passé, dont l'amour nous a échappé et nous importe tant ?

Adulte, si l'autre fuit, pense-t-on même à le poursuivre : « Tu ne veux pas être avec moi, tant pis. » Et si l'on souhaite partir, est-ce par désir d'être suivi ? Jouer au chat et à la souris, subir l'alternance du chaud et du froid fonctionne, comme tout jeu, dans la mesure où les deux partenaires sont d'accord pour y jouer. Et se donner la réplique. « J'ai mis du temps, mais j'ai fini par dire non. Je ne veux plus jouer avec toi. Au moins à ce jeu-là. C'est un jeu mortel. Même s'il me donne la sensation d'exister. »

Si on a trop soif d'aimer et d'être aimé pour se sentir exister, on meurt d'amour : non d'aimer, mais de ne pas être aimé. Celui ou celle qui aime passionnément pourrait se réjouir d'aimer : quel bonheur que d'éprouver la force d'un sentiment qui vous emporte et vous transporte. Je te remercie d'être ce que tu es et de donner à ma vie des couleurs et une intensité qu'elle n'aurait pas sans toi.

Au lieu de cela, l'homme, la femme qui aiment avec passion se lamentent et se tourmentent. Ils n'« aiment » pas : ils vont chercher au-dehors cet amour qui leur manque. Une idée d'amour, car savent-ils même ce qu'ils cherchent ? Quand deux soifs se rencontrent, peuvent-elles être l'une pour l'autre la source tant attendue ?

Si j'existe sans toi, je n'ai plus besoin de toi pour me « sentir » exister. Je suis moi avec toi et je suis moi aussi sans toi. Mais je suis encore *plus moi* avec toi. Je n'éprouve pas le besoin mais le désir d'être avec toi. J'ai le désir de toi, parce que c'est toi.

Ce n'est plus une idée folle qui me poursuit, mais une douce folie que je vis, pleinement, en conscience. Ce n'est plus un combat entre mes pulsions et ma raison, c'est une tendre « guérilla » qui se joue, entre toi et moi, ensemble. « Ainsi menons-nous malicieusement l'un contre l'autre une guérilla sans reproche », a écrit René Char.

« Il faut avoir vécu au moins une passion dans sa

176

vie », dit-on. Certainement faut-il avoir vécu son adolescence, au temps de l'adolescence. Sinon, elle pourrait rester un regret et ceux qui ne l'ont pas vécue à vingt ans pourraient la vivre à quarante ans – la crise de la quarantaine – dans des conditions plus difficiles, introduisant une rupture brutale, non avec leur famille d'origine, mais avec celle qu'ils se seront créée. Peut-être faut-il passer par un esclavage pour rompre avec un autre esclavage : l'esclavage de la passion pour rompre avec l'esclavage familial. Et ce n'est qu'au sortir de la passion, au sortir de la souffrance de son histoire familiale que l'on peut être un homme, une femme. Un homme, une femme qui ne sont plus dans le besoin mais dans le désir : un homme et une femme de désir.

Alors on peut aimer passionnément sans être aliéné à l'être aimé : ne pas être pris par la passion, mais accueillir l'intensité d'un sentiment passionné. Vivre la force d'un lien tout en gardant sa liberté d'être et de penser. Il serait triste de renoncer à l'amour parce que l'on a souffert et peur de souffrir à nouveau. « Trop aimer, c'est trop souffrir. J'ai fui un homme parce que je l'aimais », « Ce qui est fort, on le paie au prix fort ; j'ai choisi dans ma vie ce qui ne semblait pas comporter de risque majeur. Comme je me suis trompé ! » Je ne t'aime pas, ainsi je ne souffre pas.

Ne peut-on connaître un amour sans souffrance ? La passion, c'est un amour qui souffre, ce n'est pas un amour heureux : je ne suis pas heureux de t'aimer. La passion, je la porte en moi et elle me tue. Le désir est un amour heureux. Il porte la vie en lui. Ne peut-on rester maître du choix de sa vie ?

On a toujours le choix d'aller dans le sens de la vie.

De ne pas être victime de sa vie, de soi. On a toujours le choix d'*être*. Être en vie, être de désir.

Alors je peux venir vers toi et tu peux venir vers moi, nous n'avons plus rien à craindre l'un de l'autre ; nous avons le meilleur à donner.

Eros

« Elle est si belle, mon amour pour elle me donne des ailes », « Il est si beau ; je le regarde et le monde est beau. » Quel bonheur d'être ainsi transporté par l'élan amoureux ! Eros nous soulève de joie et donne à nos jours les couleurs de l'amour. Sa flèche – Cupidon dans la mythologie romaine est identifié à Eros – nous va droit au cœur, faisant fi de notre raison et de nos peurs. Nous sommes les élus du dieu de l'amour qui vient transpercer nos secrets et nous les révéler. J'aime et la vie se fait belle.

Comme dans la passion, l'amour s'impose et nous impose ses lois. Comme dans la passion, le désir est ardent et intense. Un désir si fort que nous avons désormais la certitude d'être deux : d'avoir rencontré l'être élu, d'être enfin arrivé à bon port. De savoir où porter notre regard et offrir notre cœur. Mais si nous avons besoin de l'autre, tant nous apprécions sa présence, sa beauté et tout ce qu'il est, notre demande n'est pas celle de l'enfant, ni de l'adolescent dans l'urgence et l'impatience. Notre attente est celle d'un jeune homme, ou d'une jeune femme – dans notre cœur et notre esprit –, animé d'un désir qui fait de lui, ou d'elle, l'acteur de sa vie. Un désir non subi, mais choisi : à tel point que l'on peut être amoureux de son propre désir avant d'être véritablement amoureux de l'être aimé. Quand je suis amoureux, amoureuse de toi, le « je » n'est pas encore adulte, mais sur le chemin de la maturité.

Eros est un jeune dieu ailé : il a de la jeunesse l'innocence et la pureté, de la divinité la lumière et la beauté. Et dans ses ailes souffle un air léger qui donne à nos sentiments souffle et légèreté. Il est l'amour. Et nous qui sommes touchés par lui devenons amour. À condition que nous acceptions d'être *élevés* par lui, entraînés non vers le bas, dans nos pulsions et nos besoins d'enfants mal aimés, mais vers le haut, là où l'amour est maître. Où je ne me contente pas de t'aimer, mais où tout mon être devient amour.

Quand je suis amoureux, amoureuse de toi, ce peut être le début d'une passion, douloureuse et éphémère, ou les prémices d'une relation profonde et durable. Je ne sais encore – puis-je le savoir ? – si cet élan amoureux qui me porte vers toi, c'est pour un jour, ou pour toujours. J'ai du désir pour toi ; vais-je m'y perdre et te perdre ou me laisser conduire par Eros pour trouver avec toi le chemin de l'amour ?

À l'instant même où Eros vient à ma rencontre, je ne sais encore si ce sera pour mon bonheur ou mon malheur. Vais-je m'ouvrir à l'amour ou, blessé, voir s'ouvrir d'anciennes blessures ? Eros me fait goûter au paradis : il me mène là où il fait bon vivre. Mais si de ce « bon » je ne peux me satisfaire, s'il éveille en moi le « bon » que je n'ai jamais eu, ou que ce « bon » m'est pour une raison ou une autre retiré, voilà que le plaisir fait place à la douleur. Tout le bonheur qu'il m'a été donné de vivre avec toi se transforme en manque et souffrance.

Pour que le paradis ne se transforme pas en enfer, mais qu'au contraire nous grimpions ensemble les échelons de l'amour, certainement faut-il déjà être en paix avec nos racines, notre passé, les forces démoniaques qui sont en nous : celles qui font de l'amour une souffrance. Le désir amoureux, s'il est celui d'un enfant qui dévore le sein de sa mère ou demande dans la douleur ce sein qu'il n'a pas eu ou au moins pas à satiété, sera toujours associé à la douleur du manque. « Et si je t'aime, prends garde à toi » ; si tu ne me désires pas comme je le désire, je ne t'aime plus. Je ne veux plus souffrir. Mais je vais te faire souffrir.

Je ne t'aime plus, mais je veux que tu me désires. C'est ainsi que l'amour pour l'autre devient amour-propre. Des paroles et des actes contradictoires se succèdent en relation avec la sensation d'être, oui ou non, aimé. Je suis vexé, je m'en vais, je reviens, je t'aime, je ne t'aime plus, repars, viens, je t'adore, je ne sais plus si je t'aime, tu ne m'aimes pas assez, j'en aime un autre, je n'aime que toi, tu me plais... « Je veux le pousser à bout pour voir à quel point il m'aime », « Je ne sais pas si je l'aime, mais je veux qu'elle soit amoureuse de moi. » Au bonheur d'aimer s'est substitué le plaisir de séduire : le désir de désirer et d'être désiré. J'aime ton désir pour moi. Mais toi, est-ce que je t'aime ?

Combien pour séduire jouent à être amoureux et peuvent jouir d'une conquête qui rend l'autre très malheureux. « Quand je l'ai rencontré, tout indiquait le danger qu'il représentait. J'avais tant le désir de devenir femme, il mettait une telle assiduité à me séduire, laissant espérer ce à quoi j'aspirais, que j'ai fini par céder : à mon désir, au sien, à mon désir révélé par le sien, à son désir induit par le mien. Peut-on éprouver du désir sans que l'autre y mette du sien ? Quelle était son intention ? Je ne comprends pas. La mienne était de m'ouvrir à lui pour découvrir une sexualité que j'ignorais. Loin de m'épanouir, je suis meurtrie. Une fleur offerte que l'on a piétinée. »

« Je n'ai jamais choisi un homme ; c'est son désir pour moi qui m'a convaincue », « Les femmes viennent vers moi, et je ne sais pas dire non ». Séduits, flattés, entraînés par d'autres dans la valse de l'amour, ils se réjouissent un temps d'être si désirés, et se réveillent un jour las d'être désirés sans rien savoir de leur propre désir. Inquiets de n'être pas *désirants* mais tout autant de n'être plus désirés, ils ne savent plus s'il leur faut partir ou rester, et s'interrogent sans cesse sur ce que c'est qu'aimer. Aimer, est-ce te désirer ou être désiré par toi ?

« J'ai toujours besoin d'éprouver du désir. Le désir me fait vivre. Si je n'en ai plus, je m'en vais. Je pars vers un autre amour », « J'aime le début d'une histoire, car j'ai toujours plein de désir pour l'autre. Puis le désir s'en va. Et ce n'est plus de l'autre que j'ai envie, mais de m'en aller. » Pour certains, ce n'est pas d'être désirés qui les comble et les rassure, c'est le désir qu'ils éprouvent. Dans le désir du désir, l'amour est aussi fragile que le désir peut l'être – n'est-ce pas un désir sans amour ? J'aime le désir que j'ai pour toi. Mais toi, est-ce que je t'aime ?

Aimer, est-ce désirer ? Désirer, est-ce aimer ? Peut-on aimer sans désirer, et désirer sans aimer ? « Si je ne le désire pas, c'est bien que je ne l'aime pas. Pourtant je l'aime, et nous avons tant de désirs en commun. Je ne sais que penser. » Autant le désir s'impose dans la rencontre amoureuse – le plus souvent il en est l'initiateur –, autant il dispose ensuite de nous tant nous lui sommes soumis : toujours inquiets, nous sommes aux aguets du désir que nous éprouvons comme de celui que l'autre éprouve pour nous. « Je n'ai pas de désir, donc je n'aime pas » peut être aussi douloureux à vivre que « il, ou elle, n'a pas de désir pour moi, donc il, ou elle, ne m'aime pas ». Où est le désir est l'amour.

Comment alors ne pas être anxieux : car il est bien inquiétant de dépendre de ce qui ne dépend pas de nous. De scruter le désir de l'autre pour y voir l'expression d'un amour présent ou absent. Et d'examiner son propre désir tel qu'il apparaît aux yeux de l'autre. De quoi se perdre dans ce jeu de miroirs, où le « je » n'existe plus que dans le regard de l'autre. Si tu vois que je te désire, je t'aime.

D'autant que cette logique apparente – « je te désire, donc je t'aime ; je ne te désire pas, donc je ne t'aime pas » – nie la complexité du désir : il peut justement se refuser là où l'amour est. « Quand je ne suis pas amoureux, je peux avoir longtemps du désir pour une femme. Je ne me sens pas engagé avec elle ; par conséquent, toujours prêt à partir. Mais quand je l'aime, mon désir cesse au bout de quelques semaines. Je lui trouve un défaut sur lequel je me fixe et j'y vois là le prétexte de ne plus la désirer. Quand j'aime, je suis en danger. J'ai peur d'être enfermé. Je sais que je vais perdre quelque chose, ma liberté sans doute. Je fais aussi de telle sorte qu'elle ne me désire plus : je lui fais sans cesse des reproches et l'accable de tous les maux. Ainsi, elle ne m'aimera plus. Et je serai à nouveau libre. »

Les hommes n'ont parfois plus de désir pour mieux fuir. C'est la « débandade » : « J'étais fou amoureux

d'elle, mais je n'arrivais pas à faire l'amour avec elle. »
Fuir ce qui les met en danger : aimer. Aimer non pas
l'autre, mais à travers l'autre leur propre part d'ombre.
Car aimer l'autre c'est dire oui à ce qu'ils veulent fuir
d'eux-mêmes : les imperfections, des failles physiques
ou intellectuelles, mais surtout la vieillesse et la mort
– même à partir de trente ans. Aimer, c'est accepter le
temps qui passe et se manifeste dans une ride, un corps
qui change. C'est accepter, encore dans un jeu de
miroirs, de n'être pas parfait à travers le regard que
l'on porte sur l'autre. Si j'accepte tes ombres, je reconnais les miennes. Et j'apprends à t'aimer tel que je suis
et tel que tu es.

De même que l'amour ne peut se réduire à une
unique et semblable sensation pour tous, le désir
accompagne chaque barreau de l'échelle et varie aussi
selon les moments de notre vie. Le désir avec un même
partenaire, on le sait, a sa propre histoire ; il vit des
temps de bonheur absolu, atteint des sommets que l'on
n'aurait pas soupçonnés, mais connaît aussi ses creux
de vague, des passages à vide : le désert du désir. Peut-
on dire alors que l'amour n'y est plus ?

Peut-on affirmer que le désir une fois parti, l'amour
lui aussi s'en est allé ? Les déserts de l'amour sont des
temps de silence, aussi nécessaires qu'une « conversa-
tion à bâtons rompus » : une distance, une absence, un
éloignement provisoires qu'il importe de ne pas drama-
tiser. Être envahi par l'obsédante question du désir –
« ai-je du désir, en a-t-elle, en a-t-il, pourquoi n'en
a-t-il pas, n'en a-t-elle pas... ? » – ne favorise guère son
émergence. Ce n'est ni dans l'anxiété ni dans l'inquiétude que peut naître, et renaître, le désir.

Le désir n'est-il pas élan naturel et spontané : cette

magie renouvelée d'une tension vers l'être aimé en même temps qu'un abandon, une confiance totale aussi bien à soi qu'à l'autre ? Il suit l'amour, le précède parfois. Il en est le complice et non l'arbitre. La peur du désir manquant peut tuer le désir. Si je me regarde aussi bien désirant que non désirant, le désir s'en va. La bête humaine est fragile. « Je ne comprends rien à mon désir pour toi. Tantôt il est là, tantôt il n'est pas là. Qu'importe, je le laisse vivre sa vie. » Ce n'est pas le désir qui me dicte mon amour, ni moi qui lui dicte sa conduite.

On dit qu'« il faut savoir se faire désirer » ; certainement ne pas être trop désireux d'être désiré, comme preuve d'être aimé. D'autant que le désir peut n'être que désir : un désir sans amour. « J'ai toujours eu du désir pour ma femme, mais je n'étais pas amoureux d'elle », « Je sais que je ne l'aime plus, mais j'ai toujours du désir pour elle ». Le désir a sa vie propre. L'habitude ou une occasion, un verre de plus et une échancrure, le désir se vit, mais n'est pas amoureux. C'est une « pulsion » qui peut être accompagnée de tendresse et d'amitié, mais ce n'est pas de l'« amour ». Je vois l'autre qui dans sa beauté est objet de désir, mais je n'aime pas. Ma personne tout entière n'est pas engagée dans la relation.

Il est un érotisme pulsionnel, qui se vit maintenant, sans attendre. Un érotisme « au-dessous de la ceinture » : le cœur n'est pas touché, ni le souffle, il n'y a pas de baiser. On n'embrasse pas : on ne prend pas dans ses bras. Pas de pensée pour l'autre : sitôt quitté(e), sitôt oublié(e). Aucun don, on prend et on s'en va. Pas de parole ni de partage, si ce n'est une jouissance ponctuelle et partielle. Non qu'elle ne puisse être intense, mais elle ne concerne qu'une part limitée de la personne, d'un côté comme de l'autre. « Avec lui c'est du sexe, rien d'autre. »

« On faisait l'amour passionnément et il ne cessait de me dire qu'il ne m'aimait pas. Je ne comprenais pas. » Parfois, cela est vrai, le cœur n'est pas là. D'autres fois, il s'agit plutôt de nier la vérité d'un sentiment qui conduirait, s'il se disait, à trop s'engager. Le corps est là, mais le cœur exprime une résistance à aller plus avant dans la conscience d'un lien que l'on craint. Je suis là et je n'y suis pas. Avec toi, mais pas vraiment.

La communication, la tendresse, l'engagement face à soi-même d'une relation juste et harmonieuse conduiront deux amants à une sexualité plus riche, reconnue et non inquiète, même en temps de désert. Une sexualité qui s'étend à chacun des gestes du quotidien, et se nourrit de tout ce qui se vit. C'est ainsi qu'elle grandit ou se meurt comme un feu que l'on n'entretiendrait pas et qu'on laisserait s'éteindre. Des tons de voix, des insultes, reproches, cris, coups, comme des silences, des absences, une indifférence peuvent la réduire à néant, même si l'amour est là.

La sexualité accompagnée d'amour s'exprime et s'épanouit dans l'intimité de la « chambre nuptiale », mais elle est partout présente et à chaque instant. Le désir se dit aussi dans un regard, une parole complice, des gestes tendres. C'est un corps à corps qui se vit de cœur à cœur.

Quand les cœurs sont unis, Eros n'a pas de vague à l'âme. Il est et se vit. Les besoins peuvent se dire, mais ne s'imposent pas. L'émotion est présente, mais pas envahissante. Et la parole se libère, légère, s'ouvrant à l'autre dans un partage où le désir prend des couleurs de plus en plus tendres et subtiles.

Philia

> « *Seigneur, tu sais tout,*
> *tu sais bien que je t'aime* (philia). »

Jésus sait que pour Pierre, l'amour est *philia*, de l'amitié et non l'*agapè*, l'amour dans le don de soi. Par deux fois, il lui demande : « M'aimes-tu ? » en prononçant le mot *agapè* ; la troisième fois, il utilise lui-même le mot *philia* pour parler le même langage que Pierre.

En amour, n'est-il pas essentiel de parler le même langage ? L'amitié en amour, n'est-ce pas déjà de bien s'entendre ? S'entendre sur ce que l'on a envie de vivre ensemble, dans un présent immédiat, mais aussi dans un avenir proche ou plus lointain. Si j'ai pour toi du désir et que tu ressens pour moi de l'amitié ou si tu as pour moi des sentiments passionnés et que j'éprouve pour toi une tendre affection, nous ne sommes pas sur les mêmes barreaux de l'échelle ; des barreaux, en l'occurrence, peu compatibles les uns avec les autres. Cette relation ne va pas de soi : on ne s'entend pas sur l'essentiel de ce que l'on attend l'un de l'autre. Une bonne entente, c'est partager les mêmes attentes.

Parfois, nous avons la joie de rencontrer celui ou celle avec qui « nous nous entendons merveilleusement bien ». Et l'on peut même dire : « Nous nous entendons sur tous les plans », « C'est mon amoureux, mais c'est aussi mon meilleur ami », « C'est ma femme et ma confidente ». S'entendre bien, c'est déjà bien s'écouter. Prendre le temps de s'écouter. Tendre l'oreille à ce qui est dit, et ce qui ne l'est pas, avec attention et une bonne intention. Deux amis sont bien attentionnés l'un envers l'autre. Je m'entends avec toi : je t'entends bien, tu m'entends bien.

J'ai pour toi une écoute autre que celle du désir amoureux, ou plutôt une écoute qui s'ajoute à celle de l'amoureux ou de l'amoureuse. Quand je suis avec toi, je vois celui ou celle qui m'attire, me séduit, pour qui je peux avoir des élans passionnés, je retrouve la petite fille, le petit garçon, mais je vois aussi l'ami. Je reconnais en toi un ami, une amie à qui je peux me confier librement.

Tu es mon ami(e), je peux te faire confiance. Je peux m'exprimer en toute sincérité. Ta seule présence est un réconfort : dans tes bras, je me sens « chez moi », en sécurité. Quand tu m'écoutes, ton regard me touche et c'est comme une caresse. Tu me comprends : je peux te confier mes peines et partager avec toi mes joies. Toi, mon amour, mon ami, je sais que tu es là.

Mais est-ce possible, avec toi que j'aime, de parler comme je parlerais à mon meilleur ami, ou ma meilleure amie ? « Avec mes copains, il n'y a pas d'ambivalence, c'est simple, c'est vrai, on peut parler de tout, on est complètement libres. Avec mes petits copains, au début, c'est bien. Mais je ne peux aimer qu'un moment, ça ne dure pas. » Mon *petit ami*, ma *petite amie* : une relation amoureuse serait-elle plus *petite* qu'une amitié ? Il semble que l'on ait plus de difficultés à l'inscrire dans la durée. L'amitié, on se dit : « C'est pour la vie. »

Il y aurait dans l'amitié une liberté et une qualité

d'échange plus difficiles à trouver dans une relation amoureuse. La proximité des corps éloignerait-elle les esprits ? La complicité demanderait-elle pour se vivre plus de neutralité dans les sentiments ? L'état amoureux peut donner lieu à des discussions « passionnées ». Mais ces discussions portent essentiellement sur la relation : « Tu m'aimes ? », « Si tu m'aimes, pourquoi as-tu dit cela ? », « Hier tu as fait ceci, pourquoi ? »... Et si elles abordent d'autres sujets, c'est pour parler d'une autre façon de la relation : s'interroger sur les sentiments de l'autre, se rassurer quant à sa façon d'aimer, sa fidélité à travers sa vie, son passé, ses goûts... Avec toi, on ne parle que de nous.

« À un amoureux, je ne dis pas tout. Mais à un ami, oui », « Avec un ami, on n'a pas d'image à défendre : un véritable ami, il est acquis. » Si je t'aime, j'ai envie de te séduire, et si j'ai envie de te séduire, il y a des choses que je n'ai pas envie de dire. Dire ce que l'on ressent, c'est dire la souffrance qui nous accompagne depuis si longtemps. C'est se trahir, laisser apparaître l'enfant, la part désespérée de notre enfance. « Je ne veux pas me mettre à nu devant qui je me mets nu. » Tu m'as crue enjouée, rieuse, solide. Il n'en est rien, je suis une « femme fragile », comme dans la chanson. Et maintenant que tu le sais, vas-tu encore m'aimer ? Puis-je te parler et continuer à te plaire ?

Une amitié amoureuse semble allier les plaisirs de la séduction et de l'échange amical : on craint moins de se montrer tel que l'on est. Un échange qui peut être agrémenté d'une complicité avec l'autre sexe ; le moyen de satisfaire une curiosité sur le monde des hommes ou celui des femmes et la liberté de s'exprimer sur ce sujet. Ou alors entre deux personnes du même sexe, quand le désir amoureux est latent ou reconnu. Mais n'est-ce pas aussi un compromis qui n'a ni la vertu d'une grande amitié ni celle d'une histoire d'amour ? Une amitié amoureuse porte sa part d'ambivalence ; ne comporte-t-elle pas alors les mêmes dangers que la relation amoureuse, mais sans en avoir les plaisirs – on flirte avec la réalité ? Dans une amitié amoureuse, tu n'es pas mon amoureux, mon amoureuse ; es-tu mon ami(e) ?

Il suffit que le désir s'en mêle, qui plus est la passion, pour qu'une amitié amoureuse perde son bel équilibre ; si l'un des deux tombe amoureux de l'autre, et que ce dernier est amoureux « ailleurs », l'amitié n'est plus ce qu'elle était. « Maintenant qu'elle est amoureuse, je n'existe plus », « Je sais qu'il a sa vie, mais je ne supporte pas qu'il ne soit pas là quand j'ai besoin de lui. » Est-ce encore de l'amitié sans générosité – je me réjouis de ta joie – ni liberté : liberté d'expression et désir de liberté, l'un face à l'autre, l'un pour l'autre ? Si nous devenons possessifs, exclusifs, si nous ne sommes plus à l'écoute de l'autre dans ce dont il a besoin, mais dans ce dont *nous* avons besoin, est-ce là de l'amitié ?

Si la relation évolue vers une histoire d'amour, alors l'équilibre se rétablit. Je te désire comme tu me désires ; j'ai besoin de toi comme tu as besoin de moi. La relation amoureuse se nourrit de l'amitié qui dure depuis des mois ou des années. « Nous étions amis et puis, un jour, je l'ai regardée autrement. Non seulement comme une amie, mais comme une femme. Depuis ce jour, c'est ma femme. Notre amitié est le socle, profond et solide, sur lequel se construit notre amour. » Alors la relation est possible, amoureuse et amicale. Tu es mon amoureux(se) et mon ami(e).

Un grand amour, n'est-ce pas une grande amitié ? Comment s'aimer sans cette confiance, sans ce désir chez chacun du meilleur pour l'autre, sans une écoute réciproque et le partage du bon comme du moins bon ? Encore faut-il laisser de côté la passion et son corollaire, la possession. Une demande insatisfaite et les reproches fusent ; l'amour n'est plus le lieu d'accueil et de respect, mais celui de la critique, du jugement et du règlement de comptes. « Je ne peux pas rester ami avec mes anciens amoureux. » Si l'on continue à attendre ce que l'autre ne donne pas, on ne peut « rester amis » : l'amitié ne fait pas bon ménage avec un désir voire une passion contrariée. Avec le chagrin, la rancune, la rancœur.

Quand vient s'y mêler la passion, la trahison pénètre au cœur de l'amitié et la brise. Une demande trop absolue – souvent insatisfaite parce que trop absolue – et on ne peut être que déçu. Cette déception se fonde sur des faits considérés comme objectifs et qui font de cette trahison une réalité sans possible pardon. Il ne peut y avoir alors plus cruel qu'un ami ou une amie déçu(e). Et un amour déçu, n'est-ce pas aussi une amitié déçue ? L'attente est telle que l'on se donne le droit de critiquer et de rejeter ensuite avec violence celui ou celle qui ne répond pas *absolument* à ses espérances. On peut être déçu par ses attentes, mais aussi souffrir que l'autre se dise déçu. Tu me déçois : je suis triste ou en colère. Triste et en colère.

D'où vient la déception ? Souvent d'une parole trompeuse. « Tu sais comme je t'aime, combien tu comptes pour moi, je pourrais sacrifier ma vie pour toi. » La parole est aisée qui ne s'encombre pas des actes ; les gestes et attitudes ne s'accordent guère avec ce qui est dit. Si la parole est pleine d'espérance, elle est vide de sens. Insensée. Dans le double message qu'elle renvoie, elle rend fou. Et si la parole a perdu tout sens, la relation n'en a plus. « Quand il parle, je ne crois plus un mot de ce qu'il dit. » La parole est le ferment de l'amitié. De l'amitié dans l'amour.

Quand la parole est trompeuse, l'amour est trompeur. « Il est arrivé dans ma vie aussi vite qu'il en est parti. C'était comme dans un rêve. Quelqu'un m'avait dit : "Méfie-toi quand c'est trop beau." Cela ressemblait *trop* à un conte de fées. Il me disait tout ce que j'avais envie d'entendre : la vie qu'il me proposait était la vie dont je rêvais. Quand je me rencontrais dans les miroirs, je me disais : "C'est bien toi qui as enfin rencontré le prince charmant ?" Pourtant quelque chose en moi savait : j'étais prise d'une anxiété que je ne pouvais nier. Mais je n'en connaissais pas la cause. »

Entre celui, ou celle, qui abuse de la confiance de l'autre et celui, ou celle, qui se fait abuser, on retrouve la même volonté de se convaincre d'un amour auquel on ne croit pas, ou plus. Les premiers cherchent à se convaincre par les paroles qu'ils prononcent ; les seconds par les paroles qu'ils entendent. Chacun se conforte dans ses illusions : on construit ensemble des « châteaux en Espagne ». L'un et l'autre savent qu'il ne s'agit que de ruines, mais il est si bon de voir un autre croire à ses paroles, si bon d'entendre l'autre vous les dire.

« Avec toi, pour toujours, je serai fidèle, je n'aimerai jamais que toi... » Ces mots peuvent être prononcés avec sincérité, mais ils peuvent aussi dépasser la vérité du cœur. Que de déclarations emphatiques et autres discours enflammés, dits dans l'élan de l'instant, sont affirmés haut et fort par qui les nie quelque temps après. Ne me dis rien, si tu dois ensuite te dessaisir de ta parole.

Pierre n'a-t-il pas dit à Jésus qu'il était prêt à mourir pour lui ? À Jésus qui dit : « Où je vais, tu ne peux me suivre maintenant, tu me suivras plus tard. – Seigneur, lui répondit Pierre, pourquoi ne pas te suivre dès maintenant ? Je donnerais ma vie pour toi." Jésus répondit : "Tu donnerais ta vie pour moi ? Amen, amen, je te le dis, le coq ne chantera pas que tu ne m'aies renié trois fois." » Et de fait, Pierre l'a par trois fois renié.

N'est-ce pas là, au sein des liens les plus étroits, dans la plus grande proximité d'un lieu de confiance, que l'être aimé, l'ami tant aimé, peut venir nous trahir et nous blesser ? « Celui qui partageait mon pain a levé contre moi son talon », a dit Jésus. « Tu es un frère pour moi », « Je t'aime comme une sœur. » N'est-ce pas justement dans cette fraternité – qu'elle soit de cœur ou de sang – que se jouent les pires rivalités, les jalousies, les sentiments d'envie ? On connaît les « frères ennemis » à commencer par Caïn qui tua son frère Abel pour un regard du père qui ne lui était pas offert, mais adressé à son frère. Je t'aime, comme un frère, une sœur ; mais aussi je peux te haïr comme un frère, une sœur. Toi avec qui je vis, je peux revivre avec toi des vieilles rivalités, face aux parents, aux enfants, aux amis, à la société. Une rivalité, une jalousie, un sentiment d'envie qui tuent l'amour.

Dans cette proximité, même désirée et choisie, on ne « voit » pas l'autre, et on peut se croire tout permis, alors même que l'on ne permet pas à l'autre la moindre entorse à son comportement. On ne lui pardonne rien – surtout de ne pas répondre à l'image idéale que l'on en a – et on voudrait qu'il comprenne tout. N'est-ce pas au plus près de l'intimité que l'on se permet de dire et d'agir comme on ne l'aurait jamais fait avec un « étranger » ? Je t'aime, je peux tout te dire. Tu peux tout entendre et tout comprendre.

Peut-on tout dire ? Surtout si la parole est violente et cruelle. On libère tout ce qui n'avait jamais pu être dit auparavant ; mais l'autre doit-il être là pour l'entendre ? Des propos acerbes entraînent d'autres propos acerbes. Jusqu'à quand ? Cela peut-il prendre fin ? Un jour, cela suffit. Ce que l'on vit est pire encore que ce que l'on aurait voulu réparer du passé. Et si l'on veut s'expliquer, ce sont des palabres incessantes pour tenter de comprendre et de se comprendre, sans que cela n'aboutisse à rien. Ce n'est pas l'amour qui se dit : c'est un amour qui tente de dire ce qu'il ne vit pas ou ne vit plus. Je voudrais m'entendre avec toi mais je ne peux pas.

On souffre d'être mal entendu. Et si on est peu ou mal entendu, qu'en est-il de cette histoire d'amour ? Si notre parole n'a pas de valeur, la relation en a-t-elle ? Et faut-il la poursuivre ? « Entre nous, plus aucun sujet ne peut être abordé. Tout est suspect et interprété de travers. Le ton monte pour un rien », « Entre nous, ce n'est plus qu'un silence ; un silence lourd de sens ; mais chacun pense si fort que l'autre l'entend. » Plus rien ne se dit. Ou on se parle, mais là encore rien ne se dit.

« On parle pendant des heures ; mais en réalité, on ne se parle pas », « Elle me faisait le reproche de ne pas parler de moi ; mais dès que je commençais à m'exprimer sur un sujet, elle ne m'écoutait pas », « Ensemble, on parle beaucoup, mais on n'aborde jamais les vrais sujets. On parle de rien. Enfin de tout, c'est-à-dire de rien », « Je ne peux pas dire qu'on parle avec lui ; il parle. » Il est difficile de s'exprimer face à un partenaire qui n'écoute pas ; soit il ne vous donne pas la parole, soit il la prend trop. Muet ou trop bavard, il n'est pas là. J'aimerais te parler, mais tu ne m'écoutes pas.

Or il faut du courage pour oser exprimer ce qui nous touche profondément : les paroles intimes ne sont pas aisées. Ainsi avons-nous besoin d'être encouragés. On prend la parole, mais il est bon qu'un autre nous la donne. Comme il est bon, là où nous sommes si fragiles, de nous sentir accueillis avec douceur et bienveillance. Ne me laisse pas seul(e) avec mes mots.

« C'est difficile de parler avec elle. Elle réagit avec violence », « J'avais peur en lui parlant de déclencher une tempête. Pour que les choses continuent telles qu'elles étaient, il ne fallait pas faire trop de vagues », « Combien d'heures ai-je passées à parler de lui, à me lamenter sur ce qu'il ne me donnait pas. Que dois-je faire ? Est-ce ma faute ? Il eût été si simple de lui dire ce qui me blessait. Mais pour moi, c'était impossible. »

Il est difficile de dire les mots de la blessure. Alors on décide de la contenir, de la tenir cachée aux yeux de qui nous a blessés. Quand on ne peut parler à l'être aimé, on « parle » ailleurs, là où la parole est sans risque : là où l'écoute est sans danger, douce et consolatrice. Je ne peux te parler, je parle à un autre de toi.

Il faut croire que l'on a déjà perdu toute confiance dans l'écoute de l'être aimé, dans sa possible bienveillance à notre égard, dans un éventuel regard qui pourrait nous surprendre par sa tendresse et sa justesse. Quel paradoxe : on partage sa vie avec un homme, une femme, et on ne lui dit rien de ce que l'on ressent. Croit-on à la magie d'un silence, de larmes rentrées ou d'un sourire figé ? Pourra-t-il comprendre, au-delà des mots, ou plutôt des non-dits, ce qu'il y a à comprendre et que l'on n'a soi-même pas toujours compris ? Au silence de notre parole se substitue la virginité de toute souffrance. Si je n'ai rien dit, c'est qu'il n'y avait rien à dire : pas de douleur, pas de passé, pas de malheur. Tout peut commencer, ou recommencer. Si je ne te dis rien, c'est que tout va bien.

Si on ne prend pas le risque de parler, on ne prend pas non plus le « risque » d'être aimé. Si nous n'existons pas, face à l'autre, comment prendrait-il en considération notre existence ? Pour être entendu, il est bon de pouvoir s'exprimer : il est illusoire de penser que l'autre puisse tout comprendre à demi-mot. Si je ne parle pas, comment peux-tu m'entendre ?

Une parole contre une autre : notre parole est nécessaire, mais la parole de l'autre aussi. « J'ai besoin de t'entendre me dire que tu m'as blessé. Dis-moi que tu regrettes ce que tu as fait, que tu ne recommenceras jamais. Comment peux-tu dire que tu m'aimes et te comporter ainsi que tu l'as fait ? » Tu m'aimes ou tu ne m'aimes pas : tu ne me réponds pas, je me sens si seul(e) avec mes questions sans réponse.

« Tu te fais des idées : tu compliques tout. » La souffrance ne vient pas tant de l'agression – un acte ressenti comme tel – que de la négation par l'autre de cette souffrance et surtout de sa possible implication. Incapable d'expliquer le pourquoi de sa conduite – il ne sait pas lui-même pourquoi il a agi ainsi –, il se refuse à penser qu'il peut avoir blessé. Il rejette avec violence la faute sur l'autre. « Elle me renvoie tous les torts ; à croire que je suis un monstre. Je suis responsable de son malheur. Et son malheur justifie la violence avec laquelle elle me parle », « Il s'acharne à me répéter qu'il est parfait et que tous les problèmes sont de mon côté. » Je souffre, est-ce ma faute ?

« Peut-être a-t-il raison : c'est moi qui ne sais pas être heureuse », « L'échec de la relation, j'en porte la responsabilité. » Celui ou celle qui est maltraité(e) redouble alors d'efforts pour se rendre plus aimant(e) et plus aimable. « Pourquoi est-il si gentil avec cette femme qui est odieuse ? », « Elle a tant de qualités. Pourquoi reste-t-elle avec cet homme qui la traite si mal ? » Je souffre mais je ne devrais pas ; je dois me faire pardonner d'aller mal.

L'affrontement, la confrontation est impossible si on doute de soi. On doute même d'avoir mal. Comme si la victime demandait à son bourreau de lui confirmer qu'il est bien le bourreau et elle la victime ; et attendait pour s'en libérer qu'il lui explique pourquoi il se comporte ainsi. « Pourquoi tu agis ainsi ? Dis-moi, je ne comprends pas. Pourquoi tu ne m'aimes pas ? »

Une femme battue doit-elle attendre les explications et les regrets de celui qui la bat pour s'en aller ? Il faut du temps pour partir sans avoir compris pourquoi l'être aimé, et si mal aimant, se comportait ainsi. Partir pour la seule – et si essentielle – raison qu'il fait mal : on a mal, on est mal. Parfois, il lui est difficile de faire autrement ; elle a déjà été battue – si ce n'est physiquement, moralement. Des jeunes filles abusées dans leur corps par ceux qui prétendaient les aimer – un père, un frère, un oncle – disent à quel point elles sont restées sans voix, paralysées. Elles ont été abusées dans leur âme. À nouveau abusées dans leur confiance, elles sont sans voix. Seule la parole de l'autre peut leur redonner la leur : un regret exprimé, un pardon sollicité, l'ébauche d'une explication. J'ai besoin que tu me parles ; seulement après je m'en irai.

« Quand j'entends quelque chose qui me blesse, je suis incapable de dire un mot. » L'absence de réaction face à une agression physique, verbale ou morale, répète le même état de sidération que dans le passé face à ce type d'agression. Comment oublier une agression passée et ne pas vouloir la réparer des années après en restaurant un dialogue qui n'a jamais eu lieu ? Et ainsi guérir d'un profond sentiment d'injustice et d'humiliation. Partir sans cette parole qui guérit, c'est rester seul avec une blessure toujours béante.

Or guérir, c'est ne plus attendre *la* parole réparatrice de celui ou celle qui continue à nous blesser : on attend la guérison là même où est la source du mal. D'autant que l'espoir de cette parole libératrice est bien souvent illusoire. Et si elle peut un jour venir, ce n'est pas en restant mais en partant, l'autre pouvant alors réagir. Je ne veux plus souffrir, je m'en vais.

La parole qui guérit, ce peut être la parole d'un autre, parole d'amour, mais c'est aussi la parole que l'on peut se dire à soi-même dans les moments difficiles. Guérir, c'est faire confiance à notre ressenti, entendre les mots de son cœur. C'est s'autoriser à se les dire, déjà à soi-même. Puis à les dire, en restituant un dialogue. Un dialogue vrai avec une parole vraie : celle qui a fait trop longtemps défaut dans des relations subies et malheureuses. Se donner le droit de pouvoir exprimer une émotion sans qu'il soit nécessaire de savoir qui des deux a raison. Je ne te juge ni te critique, mais j'ai besoin de te dire ce que je vis. J'ai mal, écoute-moi.

Je t'écoute. Je suis sensible à la confiance que tu me portes. Je suis concerné par tout ce que tu vis, solidaire de tes plaisirs et de tes chagrins. J'ai le souhait d'une relation vraie ; mais se dire la vérité ne signifie pas que nous en soyons l'un ou l'autre peinés. Nous trouverons les mots justes, l'un pour l'autre. Mon amour, mon ami, tu sais que je suis là pour toi.

Je sais que tu désires mon bonheur et tu sais que je désire le tien. Tu ne m'enfermes pas dans une image idéale et je te laisse libre d'être ce que tu es, sans a priori. Nous n'aimons ni les disputes ni les reproches ; il n'est pas question de possession ni de prise de pouvoir. Je me sens libre d'être fragile ; tu ne m'en tiendras pas rigueur ni ne porteras sur moi un regard critique. J'ai pour toi la même indulgence ; il ne me vient pas à l'esprit de te juger. Ce que nous avons à nous dire, nous pouvons nous le dire. Je peux parler avec toi et c'est un grand bonheur.

Lors d'un mariage, un prêtre soufi, Pier Vilayat, avait pris la main des deux fiancés et leur avait dit (de mémoire) : « Je vous bénis et votre mariage sera le plus magnifique qui soit ; mais je vous demande deux choses : si l'un de vous deux se sent blessé par une parole ou un acte, qu'il en parle à l'autre. Et que celui qui l'écoute accueille cette parole sans être fâché ni peiné. » Un dialogue signifie deux paroles et deux personnes qui s'écoutent l'une l'autre. Je prends la parole, et je te donne la parole.

« Avec lui je parle comme je n'ai jamais parlé », « On se comprend à demi-mot », « J'ai à peine commencé ma phrase qu'il la termine ». Le bonheur est là d'une parole immédiate, évidente. Une parole à l'écoute de l'autre, tendre, ouverte, sensible. J'aime parler avec toi, mon doux et tendre ami, ma douce et tendre amie.

J'ai pour toi du désir, un sentiment profond et tu es

mon ami(e). Je peux mettre des mots sur mes sensations, mes sentiments, mon ressenti. Je peux te dire le plaisir d'être avec toi, sans attendre que tu me le dises. La parole est libre.

Je peux te dire mon désir : ma parole le suggère, le souligne, le provoque parfois. J'aime aussi entendre les mots de ton désir.

Une parole d'une simplicité à laquelle il faut rendre grâce. D'une fluidité qui nous rapproche de la source. Qui ne m'éloigne pas de moi et me rapproche de toi.

Une parole partagée qui nous ouvre ensemble à d'autres pensées, d'autres expériences, d'autres univers.

Une parole mêlée de rires, de sourires...

Une parole qui vient du cœur. Un cœur parlé. Deux cœurs qui se parlent. Au cœur de la vie, de notre vie...

« Nos relations amicales nous sont devenues de plus en plus chères, chacun comprenant qu'il ne pouvait trouver un meilleur compagnon dans l'existence », a dit Marie à propos de Pierre Curie.

Storgè, harmonia

« J'ai appris à l'aimer. Avec elle, j'ai appris à aimer », « Avec lui, j'ai découvert le don mutuel, équilibré, paisible. » Le temps a passé, je ne suis plus le même, la même, que celui, celle, que j'étais. Mes besoins, mes désirs, mes paroles se font plus tendres. Je n'ai plus les mêmes attentes ni les mêmes attentions ; elles aussi sont empreintes d'une tendresse que j'ignorais.

Et toi, l'être aimé que je connais depuis longtemps, ou que j'ai rencontré il y a peu, toi aussi tu as évolué, avec moi ou avant de me connaître. Que tu sois mon compagnon, ma compagne de vie, ou que chacun de nous ait eu sa vie avant de nous connaître, nous nous rapprochons maintenant l'un de l'autre pour « achever » ensemble notre union.

Ainsi que le dit Pierre Teilhard de Chardin dans un discours de mariage : « La même loi qui voulait que vous vous prépariez l'un l'autre, isolément, pour l'union attend que vous vous acheviez l'un l'autre, l'un par l'autre, dans l'union. Que sera cette histoire de votre mutuelle conquête ? »

Que sera cette histoire que nous avons ensemble à vivre ? Histoire unique, prolongement de deux histoires passées. Deux histoires parallèles dans la similitude de leur parcours, que nous ayons vécu côte à côte ou chacun de notre côté. Nous avons gravi, peu à peu, chacun à notre rythme et à notre façon, les différents barreaux de l'échelle.

À chaque fois nous avons laissé un peu de notre jeunesse, mais non de notre innocence (« innocence » vient du latin *nocere*, nuire : état de celui qui ignore le mal). Avec le temps – les années passant et la maturité venant – nous nous sentons plus légers, moins souffrants. « Comme je n'aimerais pas retourner à mes vingt ans. Je n'avais rien compris à l'amour. Je croyais aimer quand je n'avais que le désir d'être aimé. » Tout ce qui avait tant d'importance comme plaire, réussir, acquérir, n'a plus la même place dans notre vie. Nous ne sommes plus dans un sentiment d'urgence, alors que le temps nous est compté, ni dans la même impatience d'être rassurés sur l'amour qui nous est donné, absolument, maintenant.

Nous ne cherchons plus à faire de notre histoire une

histoire qui ressemble à une autre. Elle est bien la nôtre : celle qui ressemble à nos rêves. Nous avions raison d'imaginer une belle histoire, puisque nous la vivons. Mais nous ne sommes pas restés dans le rêve, nous avons pris le parti de la vivre. C'est en aimant que j'ai appris à t'aimer. Ce fut un long chemin.

La petite fille et le petit garçon que nous étions ont grandi. Nous n'avons plus envie de jouer à l'enfant. Et si nous jouons ensemble – car nous jouons ensemble –, c'est le jeu subtil et léger de deux esprits libérés, libres d'attentes et de présupposés. Un homme, une femme qui ont retrouvé leur âme d'enfant, leurs rires d'enfant. Et si chacun a besoin de l'autre, ils peuvent se le dire et savent ne pas l'imposer. Chacun en est conscient et peut même s'en amuser, comme il est plus lucide sur ce qu'il est et ce qu'il vit : sans devenir sérieux, ni se prendre au sérieux, il sait maintenant que l'amour est une chose sérieuse. Finis les jeux amoureux qui ne mènent à rien, terminé de vouloir séduire pour séduire et désirer pour le seul plaisir de désirer. Je ne me joue plus de toi, tu ne te joues plus de moi ; alors nous pouvons jouer ensemble.

Nous avons aussi été adolescents : nous avons vécu une grande passion avec ses déchirements et son aveuglement. Nous savons que l'amour peut se vivre dans la douleur, mais aussi qu'il n'est nul besoin d'avoir mal pour se sentir aimant. Ainsi a-t-on décidé de ne plus souffrir, mais de s'ouvrir à une autre dimension, un amour plus large, toujours plus lucide et généreux. Parce que j'ai connu la passion, je peux te désirer maintenant et me laisser désirer, comme tu es, comme je suis.

Les jeunes amants que nous étions se sont aimés avec folie ; aimés dans leur corps, brûlant sur leur passage leurs ailes, parfois leur âme. Nous avons connu les jouissances de la chair qui laissaient de côté et le cœur et l'esprit ; non qu'ils ne fussent pas concernés, mais trop souvent maltraités. Le plaisir des corps est toujours là ; il est bien meilleur encore. Il s'est enrichi de plus de confiance et d'une profonde tendresse. Comment imaginer deux corps qui se mêlent sans que s'y mêle la tendresse ?

De la tendresse, de l'attention, du respect. Nous avons aussi appris à nous parler et nous sommes devenus de grands amis. Liés par une amitié qui s'est faite de plus en plus douce et complice, nous sommes l'un *avec* l'autre : quand nous rencontrons des difficultés, nous tentons de les résoudre ensemble, sans prendre position l'un contre l'autre. Face à un défaut chez l'autre qui nous irrite, un comportement qui nous blesse, une parole qui nous contrarie, nous avons appris à « faire avec », non dans l'abnégation, mais dans le dialogue et la compréhension. Là où les rythmes ne s'accordent pas naturellement, on prend le temps d'attendre ou on accélère le pas. Je t'aime aussi dans ce qui te différencie de moi.

Si dissonances il y a – l'humain a ses humeurs –, l'harmonie n'est pas rompue : chacun revient vers l'autre, initiant la réconciliation d'une parole ou d'un geste de tendresse. Prendre soin des fragilités de l'autre n'est pas prendre le pouvoir sur lui. Des erreurs commises, des épreuves à traverser nous rapprochent l'un de l'autre pour mieux nous soutenir. Une confiance s'est établie entre nous, et une paix, qui donnent à nos sentiments tout le loisir de se vivre et de s'exprimer. Maintenant, je me sens libre de t'aimer, en toute tranquillité.

L'heure est venue où il est bon de se poser, de laisser derrière soi une vie de turbulences. Il n'y a rien à regretter. C'est ainsi que l'on pensait sa vie : on ne la voyait pas autrement qu'agitée. N'y avait-il pas alors confusion entre une vie mouvementée et la sensation d'être en vie ? On se sentait en vie, mais savions-nous bien où étaient nos envies ? N'était-ce pas plutôt de la dispersion : une façon au contraire de fuir sa vie ? J'aime ma vie avec toi. Je suis bien. Pourquoi fuir ? Pour aller où ? Je reste avec toi. Et toi, tu as envie de rester avec moi ?

T'aimer n'est pas te contraindre. Te proposer n'est pas t'imposer. Je me sens libre avec toi, comme j'ai envie que tu le sois. Libre de te dire simplement : « Voilà ce dont j'ai envie, j'aimerais..., cela me ferait plaisir... » Tu es libre de refuser et je sais que ce n'est pas pour me contrer, mais parce qu'il en est ainsi de tes désirs et de ta liberté. Si nous n'exprimions ni l'un ni l'autre nos désirs, par peur de dire non ou de nous l'entendre dire, comment pourrions-nous les satisfaire ? Fais-moi plaisir : dis-moi comment te faire plaisir.

J'ai tant de plaisir à voir le tien quand tu accueilles les cadeaux, les mets, les mots, toutes formes d'attentions que j'ai pensées pour toi. « La routine n'en est pas une. On sait mettre du rêve, du rire même dans le plus quotidien. Chacun a toujours pour l'autre des petites attentions », « Chaque journée est riche, mais ce sont des toutes petites choses que nous sommes seuls à voir. C'est ainsi que notre amour se crée. C'est notre secret. » Rien de spectaculaire, mais certainement l'essentiel : un bonheur intime, qui avec le temps s'approfondit.

Ma tendresse pour toi est infinie, au-delà du temps, des apparences, des preuves immédiates de ton amour, évidentes aux yeux de tous. Et au-delà de ma propre volonté : un sentiment qui m'envahit et me submerge. Autant la passion s'était introduite dans ma vie comme un séisme ravageur, bousculant tout sur son passage, sans respect de ce qui existait, provoquant des vagues de bonheur extrême alternant avec des désespoirs tout aussi violents, autant l'amour que je ressens est doux, paisible et simple. Le bouleversement, s'il est moins visible, n'en est pas moins profond. J'éprouve avec toi un intense sentiment de bien-être.

Quand je perçois chez toi le même bien-être, que je sens dans ton regard la même lueur de joie, une joie qui s'abandonne, confiante, je sens le lien unique qui nous relie et qui donne à mon amour le socle d'une permanence sur lequel s'appuyer. Alors je nous sens reliés par une muette connivence, je sens la tendresse inconditionnelle qui filtre à travers tes gestes, les fluctuations de ta voix, tes regards. « L'amour, c'est une question de regard. C'est quand je sens sur moi son regard bienveillant, gentil, plein de tendresse. » La plus grande tendresse se lit entre les mots.

« Nous sommes au diapason, même si chacun se tait », « Nous sommes sur la même longueur d'onde. » Je me sens si proche de toi. L'harmonie est telle que tu ne me prives pas de ma présence à moi-même, des bonheurs que j'éprouve dans la solitude. Je suis bien avec moi, je suis encore mieux avec toi. Quand je suis avec toi, c'est simple. C'est comme si nous étions ensemble depuis toujours. L'intensité du moment présent se fait éternité. Plus on évolue, plus on s'approche d'un amour absolu, de la notion même de fidélité ; ce lien, personne ne pourra nous l'enlever.

Mes pensées les plus tendres vont vers toi, mon amour. Avec la tendresse, le cœur fond et s'approche de la source. Se fait source. Là où est mon amour est la source.

Eunoia, charis, agapè

« Avec lui, c'est une relation d'être à être : plus que la rencontre entre un homme et une femme. Une relation qui n'a pas de mots pour se dire ; elle se vit au-delà des mots. » J'ai le cœur ouvert à une dimension que j'ignorais : avec toi, c'est différent de tout ce que j'ai pu vivre. C'est un amour où la proximité est spontanée et immédiate ; pas de distance à franchir – les âmes en auraient-elles ? Un amour où les frontières sont abolies, toutes les frontières, où on ne souffre pas de la différence ni des différends. Je ne savais pas que l'intensité pouvait être associée à tant de douceur. Je pourrais dire que tu es l'« amour incarné ». Par ta présence, l'amour se donne. Ta présence est amour. Tu es amour. Avec toi, je suis amour.

Un amour bien au-delà de toi, bien au-delà de moi. Chacun de nous se dépasse ; c'est un amour qui nous dépasse. Il nous fait accéder à plus grand et plus haut que nous. « Avec elle, je vis des moments magnifiques. » Le temps partagé est un temps hors du temps, hors du commun, du commun des mortels ; si près des étoiles que l'on ne touche plus terre. Nous sommes projetés dans un ailleurs : un monde qui semble oublier le monde, là où les amoureux sont seuls au monde. La perception même des corps est autre : leurs contours se fondent dans un espace infini. Un corps à corps qui est une rencontre d'âme à âme. Je suis avec toi, tu es avec moi. Mais c'est bien plus que toi et moi.

La rencontre d'âme à âme est une promesse d'amour total et absolu. Cette promesse peut-elle être tenue ? La concordance des âmes, la joie subtile d'une entente spirituelle peuvent-elles s'associer à un bonheur des sens : à la fête des corps, à des appétits plus consistants et des jouissances plus charnelles ?

Parfois ces rencontres ne peuvent descendre dans le monde de l'incarnation. « Notre rencontre était une rencontre d'âme à âme, mais pas de chair à chair », « C'est un amour très fort, mais nous n'avons pas pu vivre ensemble. » C'est une partition qui se joue « sur des petits nuages » et ne peut en descendre : un air de musique qui reste dans les airs. Toi et moi approchons le haut de l'échelle, mais on ne sait comment vivre le haut *et* le bas, le haut *avec* le bas.

Il est aussi des relations d'exception qui se vivent et restent exceptionnelles. L'intensité est là, qui s'impose et n'impose rien ; elle se vit sans se projeter dans la durée ou dans une construction. Chacun de son côté en est troublé, bouleversé, bien souvent transformé. Mais sans attendre plus que ce qu'il a reçu : de l'autre, de cette rencontre inespérée, inattendue, vécue comme un cadeau du ciel. La grâce nous a touchés et nous nous remercions l'un l'autre de ces instants si précieux. Je te remercie d'être là.

« Je n'attends rien en particulier, mais tous les jours quelque chose est possible. Ce sont des instants gratuits, offerts : des fous rires, des moments d'émotion, un regard complice. » Parfois la grâce ne fait pas que passer, elle demeure et nous pouvons partager le haut de l'échelle ainsi que les autres barreaux. Nous pouvons créer ensemble un lieu de vie, une vie, vivre des créations : mettre au monde des enfants, du plaisir, de la beauté et des rires. Vivre les choses les plus simples de la vie avec qui nous avons la grâce de sentir nos âmes accordées. « C'est merveilleux de méditer ensemble, de se retrouver dans l'essentiel et en même temps de pouvoir courir dans les bois et déguster des bons plats. » Nous pouvons communier tout en vivant ensemble ; la vie est communion.

Jean-Yves Leloup parle d'« harmoniser toutes les couleurs. Ce n'est pas parce que je suis dans l'amour inconditionnel que je n'ai plus de libido. Ce n'est pas parce que je suis au service des êtres, ce qu'il y a de plus noble, de plus royal en moi, que j'oublie que je suis aussi un enfant qui de temps en temps a besoin d'une petite caresse. Ce n'est pas parce que je vis un grand amour que je suis incapable d'amitié, toutes les nuances sont à jouer. C'est cela qui est intéressant : la lumière n'est pas seulement une des couleurs de l'arc-en-ciel, mais toutes les couleurs ensemble. L'amour, ce n'est pas seulement un barreau de l'échelle, c'est l'échelle tout entière ».

Et quand la grâce – l'amour gratuit – parcourt l'échelle de l'amour, chaque barreau est revisité, ouvert à toujours plus de liberté et de générosité : nos amours d'enfant et d'adolescent, nos désirs d'homme et de femme en sont transformés, transfigurés. Ainsi, je n'attends pas de toi d'être aimé ; je t'offre mon amour. Je ne veux pas exister à travers toi ; je te remercie d'exister. Je n'exige pas d'être heureux grâce à toi ; je salue la grâce d'être avec toi. Je ne te demande pas toujours plus de jouissance et de reconnaissance ; je t'invite à des réjouissances et à faire plus ample connaissance. Je t'aime et c'est déjà beaucoup. Je reconnais l'amour que j'ai pour toi, je lui rends grâce et je t'en remercie.

J'ai le cœur si plein d'amour, de cet amour ; que pourrais-je vouloir de plus ? « Il suffit de rien pour remplir un grand cœur », dit Porchia. Je n'ai pas soif d'*autre chose* : la source d'amour est en moi ; je suis cette source. Il n'est pas pour moi de plus grand bonheur que de t'offrir mon amour : de plus grande joie que de la partager avec toi, de plus grand plaisir qu'en te le donnant. Et dès lors que je donne, je t'écoute, je prête attention à ce que tu es, là où tu es, là où tu en es, et je vais vers toi. J'agis dans le sens de ce qui est le meilleur pour toi. Mon désir est orienté vers le tien, mais sans que je m'égare, car je sais aussi quel est le mien – je ne pourrais t'écouter si je n'avais appris à m'écouter. Je ne me perds pas en te donnant. Au contraire, c'est là que je trouve ma force et que je me retrouve. Que je me découvre.

À faire du deux, non pas seulement un face-à-face, où chacun attend de l'autre d'être aimé, mais un acte d'amour : toujours mieux aimer dans une dimension d'amour inspiré, qui nous élève l'un et l'autre, et nous permet de nous découvrir sans cesse.

Ainsi que le dit Teilhard de Chardin, toujours dans un discours de mariage : « Comment serez-vous plus un en étant deux ? En ne ralentissant jamais l'effort de devenir davantage vous-mêmes en vous donnant. »

Si nos soifs se répondent, alors nous pouvons nous désaltérer l'un l'autre. Tout ce qui vient de toi, de cet autre que tu es, je le reçois et c'est une joie. Et je vais vers toi : tu m'ouvres les bras et je me sens accueilli dans ce que je suis. À travers toi, à travers moi, au-delà de toi et moi, chacun accueille l'autre en tant qu'autre : un autre regard, une autre pensée, un autre désir. En lui laissant de la place, il laisse la place à une vie autre. En acceptant la différence, il peut devenir lui-même différent. Nous ne sommes pas condamnés à revivre les mêmes histoires ; ainsi pouvons-nous sortir de notre *petite* histoire pour vivre la grande histoire de notre amour. Un *grand* amour. « Plus je vais, le grand amour, j'ai bien peur que ça existe vraiment », disait Louis Scutenaire.

Nous ne sommes plus dans la *fusion* – toi et moi, nous ne sommes qu'un – pour être dans la *relation* – je suis moi, tu es toi, c'est le lien entre toi et moi qui nous unit. Un lien qui est vivant et sans cesse à recréer : la relation est don et création. Nous nous réveillons du sommeil de l'amour : un amour qui s'endort sur lui-même. Pour nous éveiller à une autre forme d'amour. C'est un amour sans question : il n'est pas en quête de lui-même ; il est. De même je suis, tu es, nous sommes. C'est ainsi. Ainsi soit-il.

Nous apprenons à aimer en conscience et en toute lucidité. Voir, déjà ; et accepter ce que l'on voit. On perd ses illusions pour être dans l'acceptation. L'acceptation de soi et de l'autre : non seulement dans ce qu'il est mais dans sa façon d'aimer. Peut-être avec le temps sommes-nous devenus plus sages. Un « grand sage » serait-il préoccupé du sentiment des autres à son égard ? S'inquiéterait-il d'être aimé et de la façon dont il l'est ? N'est-ce pas la plus grande liberté que de ne plus se préoccuper d'être aimé ? Et la plus haute forme d'amour que de toujours mieux aimer. Mieux t'aimer.

Si je m'inquiète de bien aimer, je ne m'inquiète plus d'être aimé. Il m'importe de rendre la relation toujours plus belle, non de savoir si je suis beau ou si je suis belle. Je ne sers pas ma gloire, ni la tienne, mais je veux rendre gloire à la beauté et à la splendeur de l'amour. L'honorer et lui reconnaître son caractère sacré.

« J'ai conscience que chaque geste est sacré. » Je fais honneur à cet amour plus grand que mon amour pour toi, que ton amour pour moi. Je m'y consacre. Je suis dans le sacrifice au sens de faire sacré et non de se sacrifier ; quand mes actes sont sacrés, ils sont un accomplissement : perpétuel dépassement vers le meilleur de moi-même. Je me donne entièrement, donne ma vie entière. J'honore l'amour que je porte en moi, l'amour que je te porte. Comment lui rendre hommage si ce n'est en me donnant à lui dans une dimension d'amour inspiré.

Je me donne de toute mon âme, de tout mon cœur, de tout mon corps, dans une chair aimante et vivante. Je suis au service d'un amour qui nous élève l'un et l'autre, de cet amour qui « fait tourner la terre, le cœur humain et les autres étoiles ». Dans une célébration illimitée.

Comme un feu sacré, j'honore sa flamme et je l'entretiens, comme une terre sacrée, je la nourris, je la respecte, je la vénère, comme une source sacrée, je la laisse s'écouler. Et je m'y coule pour ne faire plus qu'un avec elle.

Cet amour-là est au-delà de la présence et de l'absence. C'est un amour qui porte en lui sa foi et détermine ses propres lois. Le lien de plus en plus subtil ne peut être enfermé dans aucune définition, ni se reconnaître d'aucune religion qui ne soit la sienne. C'est un amour libre. Il n'est pas une prison, c'est un don. Il n'enferme ni ne ferme. Il donne et il se donne.

Il échappe à toute règle. Cet amour invente et réinvente ses règles : elles sont régies par un amour plus grand que son amour. Un amour qui ne lui appartient pas. « Aimez-vous comme je vous ai aimés », un amour qui ne juge ni ne critique. Un amour humain, si humain. Dans la tolérance et non l'abnégation face à l'intolérance, dans un respect de l'autre qui n'oublie jamais de se respecter soi-même. Dans un regard d'amour qui ne pense pas à soi mais se tourne vers l'être aimé. Tous les êtres aimés.

Je n'ai pas un seul et unique amour. Une seule et unique façon d'aimer. Mais toi, de la façon dont je t'aime, il n'y a que toi. Cet amour-là, humain et divin à la fois, teinté de désir, d'amitié, mais aussi d'une tendresse inconditionnelle, il n'y a que toi. Je n'ai pas à me poser la question de la fidélité. Je suis fidèle à l'amour que je te porte.

Je te fais confiance, tu me fais confiance, mais la confiance absolue n'est-elle pas dans notre amour ? Seul, il peut nous inspirer, nous guider, nous mener vers toujours plus beau, plus grand que nous. « Vous ne serez heureux, autant que le désirent nos prières et nos vœux, écrit Teilhard de Chardin, que si vos deux vies se rencontrent et se propagent, aventureusement penchées vers l'avenir, dans la passion d'un plus grand que vous. »

Je suis là pour toi, je te sais là pour moi ; n'est-ce pas la joie la plus pure ? Celle d'aimer et d'être aimé, dans ce temps et hors du temps, dans la chair et dans le cœur, dans la vigilance et le souffle, dans une soif devenue source. Source d'eau vive qui fait de nous des êtres vivants à part entière du bas jusqu'en haut de l'échelle, sur tous les barreaux à la fois. Un être entier qui rencontre un autre être entier. Une alliance entre deux libertés. « Deux humanités qui s'inclinent l'une devant l'autre », comme le dit si bien Rilke.

« C'est donc par une pénétration et un échange constant des pensées, des affections, des rêves, de la prière que vous vous rencontrerez surtout, dit Teilhard de Chardin. Là seulement, vous le savez, dans l'esprit à travers la chair n'existent ni satiété, ni déceptions, ni limites. Là seulement pour votre amour est l'air libre, la grande issue. »

Mon amour, donne-moi la main, je te donne la mienne, marchons ensemble. Et donnons-nous le temps pour nous ouvrir à l'éternité.

Bibliographie

Yvan Amar, *Les Dix Commandements*, Albin Michel, « Espaces libres », 2004 ; *La Pensée comme voie d'éveil*, Éd. du Relié, 2005.

Pauline Bebe, *Isha. Dictionnaire des femmes et du judaïsme*, Calmann-Lévy, 2001.

Christian Bobin, *La Part manquante*, Gallimard, 1994.

Jacques de Bourbon Busset, *Lettre à Laurence*, Gallimard, 1987.

Pascal Bruckner et Alain Finkielkraut, *Le Nouveau Désordre amoureux*, Le Seuil, 1977.

Josy Eisenberg et Armand Abécassis, *À Bible ouverte*, 4 vol., Albin Michel, 1978-1981.

Sigmund Freud, *Malaise dans la civilisation* (1934), trad. C. Odier, *Revue française de psychanalyse*, n° VII, 4.

Khalil Gibran, *Le Prophète*, Casterman, 1956.

Etty Hillesum, *Une vie bouleversée. Journal 1941-1943*, Le Seuil, 1985.

Xavier Lacroix, *Les Mirages de l'amour*, Bayard, 1997.

Gilles Lipovetsky, *L'Ère du vide*, Gallimard, 1983.

Florence Montreynaud, *Aimer. Un siècle de liens amoureux*, Éd. du Chêne, 1997.

Porchia, *Voix*, trad. Roger Caillois, GLM, 1949.

Rainer Maria Rilke, *Lettre à un jeune poète*, Grasset, « Les Cahiers rouges », 1984.

Nathalie Sarraute, *L'Usage de la parole*, Gallimard, 1983.

Pierre Teilhard de Chardin, *Sur le bonheur. Sur l'amour*, Le Seuil, 1997.

Gustave Thibon, *Ce que Dieu a uni*, Lyon, Cardouchet, 1946 ; *L'Ignorance étoilée*, Fayard, 1974.

Robert Van Gulik, *La Vie sexuelle dans la Chine ancienne*, Gallimard, 1987.

Jean-Pierre Winter, *Les Errants de la chair*, Calmann-Lévy, 1998.

Ludwig Wittgenstein, *Tractatus logico-philosophicus*, trad. G.-G. Granger, Gallimard, 1993.

Ouvrages de Catherine Bensaid

Aime-toi, la vie t'aimera.
Comprendre sa douleur pour entendre son désir
Robert Laffont, 1992 ; Pocket 1994

Histoires d'amours, histoire d'aimer.
De l'autre rêve au bonheur partagé
Robert Laffont, 1996 ; Pocket, 2004

Je t'aime, la vie
Robert Laffont, 2000 ; Pocket, 2004

La Musique des anges. Au meilleur de soi
Robert Laffont, 2003 ; Pocket 2005

COLLECTION
ÉVOLUTION

Bien-être & développement personnel

Des méthodes simples pour arrêter de fumer ou pour en finir avec les kilos en trop. Trouvez dans les livres Évolution des conseils pour une meilleure hygiène de vie dans les pages suivantes.

Pour en savoir plus : www.pocket.fr

Bien-être & développement personnel

◀ **La musique des anges**
Catherine Bensaid
128 pages - 6,30 €
Pocket n° 12329

Comment se libérer de ses peurs, de ses doutes, de la douleur et du manque de confiance en soi et en l'autre ? Catherine Bensaid nous aide à rompre cette spirale infernale, en mettant en lumière nos parts d'ombre. C'est en écoutant l'« ange » qui nous habite, en s'accordant des moments de répit et de calme, que l'on peut se libérer et faire éclater le chant joyeux qui est en nous. Un livre lumineux.

Histoires d'amours, ▶
histoire d'aimer
Catherine Bensaid
288 pages - 5,80 €
Pocket n° 10184

L'amour, tout le monde le cherche, tout le monde le vit, tout le monde le perd. Parfois aussi, on a du mal à faire coïncider rêve et réalité, à accepter un « non », à surmonter une rupture. Voici enfin un ouvrage antidote au mal d'amour. À travers des histoires vraies, Catherine Bensaid nous explique comment éviter la souffrance, comment aimer et se faire aimer. Parce qu'on a tous droit à notre part de bonheur.

Pour en savoir plus : www.pocket.fr

Je t'aime, la vie ▶
Catherine Bensaid
256 pages - 6,30 €
Pocket n° 11366

Si la mort conclut l'histoire d'une vie, elle appartient à cette histoire. À la lumière de son expérience de psychothérapeute, l'auteur nous invite ici à intégrer la mort dans notre vie, d'abord pour apprendre à l'accepter, pour mieux vivre ensuite. Il s'agit de mesurer le pouvoir dont nous disposons sur notre existence. Catherine Bensaid nous engage à aimer la vie et à en être l'acteur.

◀ **Aime-toi, la vie t'aimera**
Catherine Bensaid
320 pages - 4,70 €
Pocket n° 2939

Qui n'a jamais dit « Personne ne m'aime » ou « Rien ne va comme je veux » ? Ce genre de pensées négatives nous obsèdent parfois au point de nous rendre malades. Pourtant, si l'on ne s'aime pas soi-même, comment espérer se faire aimer des autres ? Voilà enfin un livre qui nous apprend à mieux comprendre notre douleur, à gérer les souffrances du passé, à écouter nos propres désirs. Bref, donner vie à nos rêves plutôt que de passer notre vie à rêver…

Pour en savoir plus : www.pocket.fr

Composition et mise en page
Nord Compo

Impression réalisée sur Presse Offset par

C P I
Brodard & Taupin

43773 – La Flèche (Sarthe), le 01-10-2007
Dépôt légal : avril 2007
Suite du premier tirage : octobre 2007

POCKET – 12, avenue d'Italie - 75627 Paris cedex 13

Imprimé en France